LA GRANGE D'EN HAUT
2. L'EXODE DE MARIANNE

MICHELINE DALPÉ

Roman

Couverture : Jessica Papineau-Lapierre
Conception : Jeanne Côté
Révision, correction : Pierre-Yves Villeneuve, Olivier Rolko, Élaine Parisien

© Les Éditions Goélette, Micheline Dalpé, 2013

www.editionsgoelette.com
www.facebook.com/EditionsGoelette

Dépôt légal : 3ᵉ trimestre 2013
Bibliothèque et Archives nationales du Québec
Bibliothèque et Archives Canada

Les Éditions Goélette bénéficient du soutien financier de la SODEC
pour son programme d'aide à l'édition et à la promotion.

Nous remercions le gouvernement du Québec de l'aide financière
accordée par l'entremise du Programme de crédit d'impôt pour
l'édition de livres, administré par la SODEC.

 Patrimoine   Canadian
canadien   Heritage

Nous reconnaissons l'aide financière du gouvernement du Canada par
l'entremise du Fonds du livre du Canada pour nos activités d'édition.

 ASSOCIATION NATIONALE DES ÉDITEURS DE LIVRES   Membre de l'Association nationale des éditeurs de livres

Imprimé au Canada

ISBN : 978-2-89690-584-3

Micheline Dalpé

La
GRANGE
❧ d'en haut ❧

2. L'exode
de Marianne

Les Éditions
Goélette

DE LA MÊME AUTEURE

Les Batissette, roman, Éditions Au Pied de la Lettre, 1998 (réédition Les Éditions Coup d'œil, 2013).

Charles à Moïse à Batissette, roman, Éditions Au Pied de la Lettre, 1999 (réédition Les Éditions Coup d'œil, 2013).

La Fille du sacristain, roman, Éditions Au Pied de la Lettre, 2002 (réédition Les Éditions Coup d'œil, 2012).

Joséphine Jobé, Mendiante, Éditions au Pied de la Lettre, 2003 (réédition Les Éditions Coup d'œil, 2012).

La chambre en mansarde, Mendiante T. 2, Éditions Au Pied de la Lettre, 2005 (réédition Les Éditions Coup d'œil, 2012).

L'affaire Brien, 23 mars 1834, roman, Éditions Au Pied de la Lettre, 2007 (réédition Les Éditions Coup d'œil, 2012).

Marie Labasque, roman, Éditions Au Pied de la Lettre, 2008.

Évelyne et Sarah, Les soeurs Beaudry T. 1, roman, Les Éditions Goélette, 2012.

Les violons se sont tus, Les soeurs Beaudry T. 2, roman, Les Éditions Goélette, 2012.

À ma nièce France,
avec toute mon affection.

I

– Ma petite dame, vous êtes enceinte, lui dit le médecin.

– Quoi ? Un bébé à trente-trois ans ?

Cordélia, incrédule, insistait :

– Moé, en famille ? Ça se peut pas, docteur !

– Vous en avez tous les symptômes, madame.

– Vous en êtes certain, certain ?

Le docteur Coupal se contenta de la regarder avec douceur.

Cordélia jubilait. Elle qui plus tôt pleurait, souriait maintenant de toutes ses dents.

– C'est le plus beau jour de ma vie, dit-elle.

Près d'elle, Fortunat se demandait s'il ne rêvait pas, lui qui avait tant espéré fonder une belle famille. Maintenant, une race nouvelle allait naître, une race qui partirait de lui, Fortunat Baillargeon.

Pendant toutes leurs années de célibat, Cordélia et Fortunat s'étaient faits à l'idée qu'ils finiraient leurs vies célibataires et, par le fait même, qu'ils n'auraient jamais d'enfants, et voilà qu'en ce jour béni un médecin leur affirmait le contraire.

– Je suis tellement surprise, dit Cordélia, que j'en oublie mes nausées.

– Prenez un peu de nourriture dès le lever du lit, comme un biscuit ou un croûton de pain, par exemple, et ça devrait aller. Habituellement, après trois mois, les nausées disparaissent.

Fortunat paya la visite au médecin et lui donna une franche poignée de main.

Le docteur Coupal parti, Fortunat referma la porte en douceur sur ses talons et, excité par l'annonce d'un si grand événement, il se mit à chanter Le diable est en bricole et à taper du pied. Cordélia s'émouvait de voir son mari si heureux.

Augustine les attendait pour déjeuner.

— À vous voir si excités, dit la vieille, j'ai pas à vous demander ce qui se passe ; c'est facile à deviner.

— J'en reviens pas ! s'exclama Cordélia.

— Une fois mariés, vous deviez ben vous y attendre.

Cordélia avertit sa mère de garder la nouvelle secrète. Elle l'annoncerait elle-même en temps et lieu.

— Je te dis, ma fille, que tu vas en surprendre plusieurs.

Cordélia alla s'asseoir dans la berçante. Elle avait besoin de temps pour apprivoiser l'idée d'avoir un enfant de son union avec Fortunat, un enfant de leur propre sang, qu'elle cajolerait, bercerait, qui remplirait la maison de ses rires, un enfant qui courrait dans toutes les pièces de la maison. Seulement à y penser, un sourire tranquille se dessinait sur ses lèvres.

— On déjeune ? demanda-t-elle. Mais où est le journal, Fortunat ? Le curé t'a pas laissé Le Devoir aujourd'hui ?.

— Je l'ai oublié à la sacristie, dit-il. Je le rapporterai en allant sonner l'angélus.

— Moé qui voulais lire les dernières nouvelles sur la grippe espagnole.

– Essaie de penser à autre chose de plus gai. Dans ton état, tu devrais avoir rien que des belles pensées.

– Les gens de notre paroisse tombent comme des mouches, pis tu penses que je peux rester indifférente à leur malheur?

– Ben sûr que non, mais je veux surtout pas que notre bébé ressente le contrecoup de ce fléau.

* * *

Au retour de l'église, Fortunat aperçut la Cabelote qui se dirigeait du côté du potager. Elle était pieds nus. Elle se penchait sur les plants de patates et semblait ramasser des petits riens qu'elle portait à sa bouche. Que pouvait-elle cueillir de si petit? Fortunat s'arrêta sur le bout du perron pour mieux l'observer. Il croyait la surprendre à chaparder les légumes du jardin. Soudain, il écarquilla les yeux. «C'est pas vrai!» se dit-il. Le cœur lui levait. La Cabelote s'en retourna les mains vides et sa silhouette s'évapora dans la brume. Le bedeau entra dans la maison, abasourdi.

– Vous me croirez pas, dit-il, la Cabelote mange des bêtes à patates. Elle est pire qu'un animal.

Augustine, qui avait le respect des miséreux, intervint.

– Oubliez pas qu'y se cache toujours des cœurs derrière la pauvreté, pis oubliez pas que ces personnages, un peu différents des autres, sont tous de notre paroisse, pauvres ou riches. La Cabelote devait avoir ben faim pour en arriver à ça. Vous auriez dû y offrir un morceau de viande ou encore quelques sous. Quand je pense qu'icitte on a du pain plein la huche.

— Elle aurait dû en demander.

— La gêne devait l'en empêcher. La pauvre femme doit jamais avoir profité d'un regard de sympathie.

* * *

Après deux mois de grossesse, Cordélia n'entrait plus dans ses robes. Sa mère lui répétait :

— Tu vas avoir des bessons, Cordélia, c'est moé qui te le dis !

— On verra ben ! répondait chaque fois Cordélia.

Et la vieille ricanait.

* * *

Cordélia avait toujours hâte au coucher. C'était l'heure propice aux confidences, le seul moment de la journée où elle se retrouvait avec Fortunat sans qu'Augustine se mêle à leurs conversations.

Dans la chambre assombrie par le couchant, Fortunat embrassait le bedon rond de Cordélia.

— J'espère que ce sera un garçon, dit-il.

— J'espère que ce sera une fille, dit-elle.

Ils rirent.

— M'man passe son temps à me dire que je vais avoir des jumeaux. Qu'est-ce que tu dirais si y nous en arrivait deux du coup ?

– On prendra ce que le bon Dieu voudra ben nous donner. C'est pas moé qui m'en plaindrai, j'ai toujours voulu des enfants.

– C'est que ça change une vie, un enfant, quand on est habitué de penser rien qu'à nous. Pis pire encore, s'il en arrive deux! M'man peut ben se tromper. Je me rappelle qu'elle a déjà dit ça à Agathe, pis elle en avait eu juste un.

– On demandera l'avis du docteur, dit Fortunat.

– Les docteurs peuvent pas se prononcer avant la naissance, objecta Cordélia. C'est toujours une surprise.

– Essaie de pas trop t'en faire avec ça, ma Cordélia.

Fortunat colla son grand corps chaud contre celui de sa femme, remonta la couverture sur son cou et le sommeil les emporta.

* * *

Quatre mois passèrent. Le ventre de Cordélia profitait. Sa lourde bedaine s'appuyait sur ses cuisses et la future maman éprouvait de plus en plus de difficulté à se déplacer.

– Quand j'étais jeune, dit-elle, m'man me reprochait de marcher comme un garçon manqué. Aujourd'hui, je marche comme un pingouin.

Cette comparaison fit sourire Fortunat.

– Tut, tut! dit-il. Dans cinq mois, ça paraîtra pus.

À chaque visite chez le médecin, Fortunat accompagnait Cordélia.

Le docteur Coupal prit le stéthoscope qui pendait à son cou, introduisit les deux tubes dans ses oreilles et compta les battements de cœur du bébé à différents points sur le ventre de sa patiente.

— Je crois entendre deux cœurs, mais je ne peux pas l'assurer. Si j'étais vous, dit-il, j'essaierais de me préparer à cette possibilité en gardant toujours à l'esprit que rien n'est certain.

Fortunat se retenait pour ne pas sauter de joie à cause de Cordélia qui restait bouche bée, comme si elle avait reçu un coup sur la tête. Elle n'entendait pas le médecin qui lui disait : « Vous pouvez vous rhabiller. » Mille pensées lui traversaient l'esprit.

Fortunat l'aida à descendre du grabat.

— Deux… répétait Cordélia. Si vous le dites, je vais devoir me faire à cette possibilité.

Elle leva le regard sur Fortunat. L'émotion mouillait ses yeux.

— Souvent, expliqua le médecin, dans les cas de jumeaux, les bébés se présentent avant terme. Préparez-vous un peu à l'avance.

— Ce serait pour quand ?

— Peut-être un mois et demi ou même deux avant la date prévue. Toutefois, rien n'est certain. Je ne pourrais pas dire, madame, c'est la nature qui décidera.

Cordélia, appesantie par le poids de sa maternité, reprit le chemin de la maison. Avant d'entrer chez elle, elle avisa Fortunat :

— Pas un mot à m'man, sinon, elle va l'annoncer à toute la famille, pis j'aime mieux y aller mollo. Chaque chose en son temps. Le docteur peut se tromper, y a été ben clair là-dessus.

– Je vais essayer de me taire, mais je sais pas si j'y arriverai parce que la langue va me démanger.

Fortunat entra à sa suite dans la maison jaune.

* * *

Après six mois de gestation, les contractions débutèrent en pleine nuit.

– Fortunat, réveille-toé, j'ai un de ces mals de ventre.

– Tu veux que j'aille chercher le docteur ?

– Non ! Je suis pas encore à mon temps, ce sera pas avant au moins un mois.

– Je vais réveiller ta mère. Peut-être qu'elle va avoir un remède.

En voyant Cordélia pousser sur ses reins, Augustine comprit l'urgence de la situation.

– Fortunat, allez vite chercher le docteur.

– Je veux un calmant, supplia Cordélia, qui grimaçait à chaque contraction.

– Y a pas de calmant pour ça, lui dit sa mère. C'est pas facile, mais les mères ont pas le choix.

La vieille Augustine attendait l'arrivée du médecin pour s'éclipser. Elle avertit Fortunat :

– J'avais prévu passer le temps de l'accouchement chez ma sœur Lucienne pour pas voir souffrir ma fille, mais comme on est en pleine nuit, je vais attendre en haut. Vous viendrez m'avertir dès que tout sera fini.

C'était le matin du 21 janvier 1918.

Le médecin entra chez les Baillargeon accompagné d'une sage-femme, madame Marien. Il eut tout juste le temps de se rendre à la chambre que Cordélia se mit à pousser.

— Poussez encore, dit-il. Le bébé se présente bien, je vois ses cheveux.

Cordélia poussait en échappant un long cri tremblotant à chaque poussée. La tête passée, le médecin tourna légèrement les frêles épaules du poupon pour aider la naissance et reçut un tout petit être dans ses mains.

— Un petit garçon, dit la sage-femme.

Voyant le bébé anormalement petit, la femme jeta un œil inquiet au médecin, qui lui aussi avait remarqué la taille de l'enfant.

— C'est pas surprenant que le bébé soit si petit, dit-il, après seulement six mois de gestation.

Le temps de reprendre son souffle, Cordélia se remit à pousser jusqu'à ce qu'un deuxième garçon se montre le nez.

— Ouf! soupira Cordélia.

La maman était épuisée mais heureuse. On appela Fortunat, qui embrassa tendrement Cordélia. Soudain, celle-ci repoussa durement son mari et se remit à forcer de nouveau.

Fortunat appela le médecin, qui donnait ses directives à la sage-femme à la cuisine.

Il accourut au chevet de Cordélia et posa la main sur son poignet.

— Cessez de forcer, ordonna-t-il sévèrement à la nouvelle maman, vous allez vous virer le corps à l'envers.

— Je peux pas, rechigna Cordélia. C'est plus fort que moé.

— Oui, vous le pouvez! hurla le médecin pour saisir sa parturiente.

Sous la menace, Cordélia étouffait des sanglots, mais la nature était plus forte que les ordres du médecin. Et Cordélia poussait.

Soudain, elle cessa net ses efforts.

— C'est comme si quelque chose avait passé, dit-elle d'un ton calme.

Le docteur releva la couverture. Un troisième bébé venait de naître.

— Une fille, dit le médecin. La maman va être comblée.

L'enfant n'était pas plus grosse qu'une livre de beurre.

Cordélia semblait trop surprise pour se réjouir.

— Trois! s'exclama le médecin, excité. Trois! Incroyable! Rares sont les mamans qui peuvent se glorifier d'avoir donné naissance à des triplés. Quel événement! Vous allez voir, la belle nouvelle va bientôt faire sensation dans les journaux.

Cordélia demanda à voir ses bébés.

— Y sont si petits, dit-elle, émue. Y ont les doigts fins comme des fils. Comment je vais faire pour pas les briser?

On lui retira aussitôt les enfants: on devait les garder au chaud sur la porte du four.

Fortunat, les coudes sur les genoux, se tenait la tête à deux mains. Même s'il éprouvait une grande fierté de sa récente paternité, il imaginait sa vie chamboulée par l'arrivée soudaine de trois enfants, sans compter les dépenses que ces petits êtres entraîneraient.

Les garçons pesaient deux livres et sept onces chacun, la petite fille était si menue qu'on n'osa pas la découvrir pour la déposer sur la balance. On supposa qu'elle pesait à peine une livre.

— Trois! Trois! se répétait Fortunat, comme pour se convaincre que tout cela ne tenait pas du rêve.

Le nouveau papa riait et Cordélia pleurait d'émotion et de découragement devant la lourde charge qui l'attendait.

Le médecin lui expliqua:

— De si petits bébés demandent beaucoup de soins et de chaleur. Je me demande si vous pourrez les réchapper.

— On va pas les perdre, docteur? supplia Cordélia.

— Aussi cruel que cela puisse paraître, vous devez vous préparer au pire, ce qui veut dire en faire votre deuil, à moins que vous n'acceptiez de l'aide extérieure.

— Quelle aide? s'informa Fortunat.

— Vous séparer des bébés en les conduisant à l'hôpital.

— Ça, jamais! Docteur, rétorqua Fortunat, dites-moé plutôt quoi faire, pis je vais vous écouter à la lettre.

— Pour le moment, les petits êtres sont à la chaleur sur la porte du four, mais ce serait préférable de les conduire à l'hôpital. Là-bas, ils ont de l'oxygène et des couveuses pour les prématurés. Toutefois, je n'aime pas séparer une mère de ses enfants.

— Si plutôt on engageait une garde-malade à la maison?

— Il est de mon devoir de vous prévenir. Mais si ces petits étaient les miens, comme vous, j'hésiterais à m'en séparer. Faites donc pour le mieux. Je peux vous recommander une bonne infirmière, mais je vous préviens, elle s'occupera seulement des bébés. Vous feriez bien de la garder jusqu'à ce que tous les enfants aient atteint cinq livres.

Fortunat, qui ne pensait qu'au confort des siens, décida d'engager aussi une servante de jour pour la tenue de la maison. Il y aurait le lavage de couches, les repas et le ménage; c'était une trop grosse charge pour la vieille Augustine.

— J'en parlerai au curé, dit le bedeau. Lui, y connaît tout le monde.

On épingla sur les jaquettes les prénoms de Léo, Luc et Julie. Les parents optaient pour des prénoms courts avec le nom Baillargeon.

* * *

Le lendemain, la Cabelote venait directement du presbytère à la petite maison jaune.

— Qu'est-ce que la Cabelote s'en vient faire par icitte? demanda la vieille Augustine. Elle doit sûrement quêter.

Fortunat entrouvrit la porte et, de son corps, il lui barra le passage pour l'empêcher d'entrer; elle sentait trop mauvais.

— J'ai entendu dire que vous cherchiez une servante, dit-elle. Si vous voulez de moé, je suis une personne ben travaillante.

— Vous arrivez trop tard, nous avons déjà trouvé quelqu'un, mentit Fortunat.

— Qui? Je la connais? demanda la passante.

— Une cousine éloignée, une garde-malade.

— C'est qui? insista la Cabelote.

— Vous la connaissez pas, elle vient de la ville.

Fortunat lui ferma doucement la porte au nez.

Il resta là, pensif, à la regarder partir, se demandant si ce n'était pas le curé qui voulait lui jouer un vilain tour.

La maison était surchauffée. Fortunat suait et on tenait toujours le poêle plein à cause des prématurés qui exigeaient de la chaleur. Les nourrissons pleuraient tous en même temps.

Fortunat se mit à siffler doucement une romance et les vagissements cessèrent. Les bébés, attentifs aux airs mélodieux, plissaient les yeux. Fortunat trouvait ses petits êtres bien précoces pour s'intéresser aux sons. Il s'approcha du poêle et retira bébé Julie de la porte du four. Il appuya sa grosse joue sur le minois chiffonné et passa la petite chose aux mains d'Augustine, qui changea sa couche mouillée pour une propre. Il répéta les mêmes gestes pour Léo et Luc.

— Pas de passe-droit, dit-il, tout le monde au sec !

La scène était attendrissante. La vieille riait.

— J'ai jamais vu un homme fou comme ça devant des bébés, dit-elle.

Cordélia faisait la comparaison avec Gustave, qui n'avait eu aucune réaction à la naissance de ses filles, et elle admirait davantage son mari.

— Les pères sont faits pour aimer et dorloter leurs enfants, ajouta Cordélia.

Fortunat tira de sous l'escalier une grosse cuve de bois sur roulettes qu'il remplit d'une belle eau bouillante, à laquelle il ajouta du savon du pays. Il y plongea les couches en flanelle.

* * *

Le même soir, Salomé Gagnon, une jeune fille de Terrebonne, toute vêtue de blanc sous une cape marine, descendit du train et se rendit directement chez Fortunat avec une valise à la main.

— Je suis garde Gagnon. On m'a dit que vous cherchiez une infirmière pour vos prématurés.

Fortunat lui prit la malle des mains et lui offrit une chaise.

— Je peux voir les enfants? demanda-t-elle.

— Ils sont là, ben au chaud sur la porte du four.

Après s'être entendue sur les gages, Salomé donna ses directives.

— Bon, dit-elle, vous allez me trouver un lit; je coucherai toutes les nuits près du poêle pour garder les bébés à l'œil.

Garde Gagnon avait apporté avec elle trois petits paniers à pain en osier qui serviraient de moïses. Elle déposa au fond de chacun un sac à eau chaude et trois épaisseurs d'ouate. Elle y déposa tout d'abord la petite Julie, qu'on gardait emmaillotée. Elle répéta ensuite les mêmes gestes pour les deux autres nouveau-nés.

Malgré les bons soins qu'on leur apportait, les nourrissons vagissaient toujours et personne n'en comprenait la raison. Cordélia eut la bonne idée de les coucher tous ensemble, comme dans le sein de leur mère. Ce rapprochement eut raison de leurs pleurs, et, à la grande surprise de Cordélia, Julie, sa petite puce, accrocha ses bras au cou de Léo.

* * *

Tout le jour, Fortunat, inquiet pour la vie de ses prématurés, ne vivait que pour le soir, que pour le plaisir de retrouver ses enfants, qu'il appelait ses trois trésors. Quand il posait un regard sur eux, on pouvait lire sur son visage une tendresse qui allait jusqu'à l'adoration.

Chaque soir, comme si c'était un rituel, Salomé réchauffait une couverture de laine au four et rendait les nourrissons à Fortunat et à Cordélia, qui les berçaient en chantant des romances. Les nourrissons se laissaient cajoler et embrasser, confiants, comme si cette affection leur était due.

II

L'été revenait avec ses semailles et ses pousses nouvelles d'un beau vert tendre.

Gustave profitait de ces années sans maternité pour commander sa femme.

— Aujourd'hui, vous irez sarcler le maïs dans le deux arpents.

En campagne, on nommait les champs par leur étendue, soit « le deux arpents », « le trois arpents » ou « le dix arpents ».

— Mais qui va s'occuper de la maison, des repas pis des enfants pendant ce temps-là ? demanda Héléna.

— Vous les amènerez aux champs plutôt que de perdre votre temps à dormir sur votre chaise.

Elle avait dormi sur sa chaise une seule fois, quand lui perdait chaque jour une heure ou deux à aller jaser chez Champoux.

— J'ai déjà le jardin à sarcler, le chiendent est en train d'étouffer les carottes.

Gustave, comme sourd, détourna la tête.

Héléna crut que son petit somme n'était pas la vraie raison ; Gustave devait plutôt la punir pour ses années d'absence au lit.

Le dimanche précédent, sa sœur Agathe lui avait dit :

— T'es ben chanceuse que tes naissances soient si espacées. Moé, j'ai un petit par année ou presque.

— C'est parce que je fais chambre à part pour pas déranger le sommeil de Gustave, dit Héléna.

— Mais ce moyen détourné pour empêcher la famille est indigne d'une bonne chrétienne. T'as pas le droit, Héléna! C'est défendu par l'Église.

— Je crois pas. C'est pas le but. Gustave a son travail et les petits doivent pas déranger ses nuits.

— Tu sais que le curé a déjà sermonné Gustave pour avoir empêché la famille?

— Non! dit Héléna, étonnée d'entendre ces propos accusatoires. Comment veux-tu que je sache? Gustave est muet.

— Gustave est pas méchant.

— Je dis pas qu'y est méchant, je dis qu'y est muet.

— Gustave a dit au curé qu'y faisait rien de mal, que c'était parce que sa femme couchait pas avec lui.

— Qui t'a dit ça?

— C'est Gustave qui a dit ça à Champoux qui lui a répété ça à Antoine, pis Antoine me l'a dit.

Héléna ajouta, le ton amer:

— À ce que j'entends, tout le pâté de maisons est au courant de nos histoires de couchette. Pis moé qui pensais Gustave muet!

— Prends-le pas mal, Héléna. Tu sais, je voudrais pas semer la discorde entre nous.

— Tu veux que je le prenne comment?

— Je te disais ça juste de même, pour pas que tu perdes ton âme, toé, une ancienne sœur.

Héléna se leva promptement de sa chaise et leva un doigt à la hauteur du nez de sa sœur.

— À l'avenir, Agathe, je veux pus jamais qu'y soit question de « sœur », ni entre nous ni devant mes enfants. Mon temps passé en communauté, y est mort pis enterré. T'entends ?

— Misère ! Je t'ai jamais vue fâchée comme ça, Héléna.

— Je dois partir, dit Héléna. Venez, les enfants. Toé, Marianne, va chercher ton père dans la balançoire.

— Tu vas revenir, Héléna ? insista Agathe. Je veux pas que tu m'en veuilles.

— Ben oui, je vais revenir. Tu sais ben que c'est pas à toé que j'en veux.

* * *

Le sommeil d'Héléna était troublé par des agitations secrètes où sa conscience se débattait. Six mois passèrent avant qu'elle se décide à retrouver le lit de Gustave. Un matin, elle rassembla ses effets et les ramena à la chambre conjugale.

Après deux années d'abstinence, Gustave ne trouva rien d'autre à lui dire que : « Vous êtes là ! »

Elle ne dit rien. Elle se contentait d'être là.

Dorénavant, leur union n'était plus que le contact obligé de deux corps. Les « oui » prononcés le matin du mariage étaient les deux seuls mots qui les gardaient ensemble.

Héléna en vint à détester les nuits, mais elle voulait encore des enfants, des trésors, des petits bras autour de son cou qui, comme les premiers, égaieraient ses journées. Mais ces deux années de repos avaient ralenti son processus de fécondation, comme si, à trop se reposer, ses ovaires étaient devenus paresseux.

* * *

Les années étaient prospères.

Gustave se tuait à l'ouvrage. Mais il avançait en âge et un mal de reins le tenaillait et ralentissait ses mouvements. Il s'informa à gauche et à droite pour trouver une main-d'œuvre, mais tout le monde avait son occupation. Finalement, Champoux lui conseilla d'engager la Cabelote.

— Elle travaille comme un homme en échange de nourriture. Mais je te préviens, elle mange comme trois hommes. Elle a dû jeûner plus souvent qu'à son tour.

— J'ai pas le choix. Je vais la trouver où ?

— Chez les Aubry, si elle est pas déjà partie courir les bois. Si Aubry passe par icitte, je peux y en souffler un mot.

— Fais donc ça pour moé.

Deux jours plus tard, au début de l'après-midi, la Cabelote se tenait plantée devant la porte de Gustave Branchaud, un sac de jute à la main.

Héléna l'aperçut de la table. Elle n'aimait pas voir cette femme bizarre rôder dans les parages.

— Gustave, regardez donc qui est là. Je me demande ben ce qu'elle attend.

Gustave sortit parler un moment avec la femme et revint ensuite à la maison.

– Au souper, dit-il, vous ajouterez un couvert pour l'engagée.

– Elle va manger à notre table? J'ai toujours dit aux enfants de se tenir loin de cette femme. Vous savez qu'elle fréquente pas l'église?

Gustave ne répondit pas.

Aux champs, il commandait la Cabelote sans ménagement et celle-ci travaillait comme un cheval. L'avant-midi, elle donna un rendement de trente quintaux de blé à l'heure. Elle les comptait pour se distraire.

Un peu avant l'heure prévue, Héléna servit à manger aux enfants et, sitôt la dernière bouchée, elle dit aux filles :

– Allez chez les Lafleur. Je vais envoyer un mot à Jeanne, pis vous resterez là jusqu'à ce que j'aille vous chercher, dans une heure. Apportez vos cahiers de dessin pis vos crayons de couleur.

Jeanne était une femme avenante. Elle avait toujours une caresse pour un, une tape amicale pour l'autre, et surtout, elle leur distribuait des bonbons.

Sa fille Josette était folle de joie d'avoir des amies pour partager ses jeux.

– C'était pas nécessaire d'apporter vos amusements, dit-elle, j'ai un jeu de dames pis un jeu de glissades, pis j'ai jamais personne pour jouer avec moé.

– M'man veut jamais qu'on vienne pour pas déranger, expliqua Marianne, mais là, c'est elle qui l'a décidé.

Les petits visages s'éclairaient. Chez les Lafleur, c'était les gâteries, les jeux, les bonbons, la bonne humeur, le bonheur.

* * *

Héléna se mit en frais de débarrasser la table. Elle recouvrit le tapis ciré d'une nappe blanche.

La Cabelote, qui avait fait des quintaux tout l'après-midi, se présenta à la table sans se laver les mains, sans dire un mot. Elle sentait mauvais. Tout en servant sa soupe, Héléna remarqua des croûtes de crasse et des gales sur sa peau. Elle refréna un frisson de répugnance. «Ça valait ben la peine de mettre une nappe propre!» se dit-elle. Elle lui servit du ragoût de pattes de cochon, qu'elle entoura de légumes frais du jardin. La Cabelote se rua sur son repas. Des larmes tombaient dans son assiette. Héléna se demandait ce qui la faisait pleurer. Était-ce la présence des petits Émile et Marc qui tiraient sur sa jupe? Ses enfants l'émouvaient-ils à ce point ou était-ce le fait qu'elle n'avait pas mangé depuis un bon bout de temps?

— Vous prendrez ben un dessert, madame…? Madame qui déjà?

— Vézin.

— Une pointe de tarte, madame Vézin?

La Cabelote tendit aussitôt son assiette.

Avant de quitter la maison, Gustave lui remit cinquante sous en échange de son travail.

La main sur la poignée de porte, elle se retourna et demanda:

– Me donnez-vous la permission de cueillir des noix sur votre terre à bois ? J'ai vu quelques noyers parmi vos érables.

Gustave acquiesça d'un signe de tête.

Dès que l'autorisation lui fut accordée, la femme sortit par la porte arrière sans un regard, sans un merci.

De la fenêtre qui dominait l'évier de cuisine, Héléna la suivit du regard. La Cabelote fit un nœud dans la cordelière de son sac de jute, l'attacha à sa taille. Elle grimpa sur les perches de cèdre. De là, elle partit en flèche, les bras dans les airs, la chemise ouverte, elle courut comme une sorcière sur la longue clôture qui longeait le chemin et qui disparaissait derrière la grange d'en haut. La Cabelote connaissait tous les sentiers pour les avoir cent fois parcourus.

Héléna était sidérée. « Moé qui la pensait morte de fatigue ! » pensa-t-elle.

À la brunante, la Cabelote sortit de la forêt avec une poche de noix sur l'épaule.

Le lendemain, il pleuvait. La femme ne se présenta plus au travail.

III

Chaque jour, quand la température s'y prêtait, Héléna montait aux champs avec ses quatre enfants. Elle apportait des pioches à manches coupés pour les filles, deux petits bols en granit pour les garçons et elle rentrait dans sa poche des cuillères au manche un peu tordu, ce qui permettait aux petits de s'amuser à creuser la terre au bout des rangs de maïs. Héléna enfonçait un chapeau de paille sur la tête de chacun pour les protéger du soleil de juillet.

Elle ne se tuait pas à l'ouvrage, elle ménageait ses forces pour le travail de la maison. Marianne et Marie-Noëlle s'amusaient plus qu'elles n'aidaient, et leur mère ne les commandait pas.

Héléna essuya son front et jeta un œil vers la maison quand elle aperçut une voiture devant sa porte. Deux adultes en descendaient les bras chargés de chérubins aux cheveux bouclés.

– Venez, les enfants, on a de la belle visite : votre tante Cordélia et les jumeaux. Marianne et Marie-Noëlle, courez dire à votre tante de m'attendre.

Les trois enfants étaient vêtus de barboteuses bleu pâle pour Luc et Léo et d'une rose pour Julie. Arrivée dans la basse-cour, Héléna s'écria :

– Comme y sont beaux ! Pis y marchent tous les trois ?

— Ben oui, dit Cordélia, pis c'est Julie, ma petite puce, qui a marché la première. Y ont pris un peu de temps à se décider, tu comprends, comme y sont nés avant terme. Le docteur dit qu'ils vont rattraper leur retard. Tu sais ce que c'est. On est comme des fous! On s'épate à chaque nouveau mot, à chaque nouveau geste, même que je me demande pourquoi Fortunat pis moé, on avait tant hâte qu'y marchent. Asteure, je trouve ça moins drôle parce que j'en ai trois dans les jambes, pis j'ai beau mettre une chaise au bas de l'escalier, mes petits poux se mettent à trois pour la pousser.

— Entrez donc! les invita Héléna. Avec le soleil qui nous tape dessus, on sera mieux au frais dans la maison.

Héléna lava ses mains terreuses avant d'embrasser tout le monde.

— Je vous garde à souper.

Les jumeaux filèrent directement à l'escalier, mais Marianne accourut.

— Marie-Noëlle pis moé, dit-elle, on va apprendre aux jumeaux à monter l'escalier pis à descendre les marches à reculons.

— Ben! Que je vous voie, vous deux! dit Cordélia. Vous êtes rendues comme m'man qui cède à tous leurs caprices sous prétexte qu'y sont adorables. Contentez-vous seulement de les surveiller, ça me permettra de respirer un peu.

Léo poussaillait Luc et ce dernier tomba par terre en pleurant.

— Léo, mon petit venimeux! gronda Marianne. Viens ici.

Et elle caressa la petite tête aux cheveux bouclés.

– Vous voyez ce que c'est, trois du coup! s'exclama la maman en accourant consoler Luc. C'est un petit bobo de rien du tout, dit-elle.

Marianne jucha les jumeaux sur ses hanches.

– Viens, Marie-Noëlle, on va amener les petits jouer du piano. Et elle ajouta, le ton moqueur : pis on va fermer la porte du salon pour ménager les vieilles oreilles.

* * *

Un an passa avant que la cigogne ne s'arrête de nouveau chez les Branchaud.

Le 5 juillet 1920, Louis naquit aux petites heures du jour. L'enfant un peu maigrelet ne pesait pas cinq livres. Héléna pensa : « Si Cordélia est venue à bout de réchapper trois bébés de deux livres et demi et moins, je vois pas pourquoi je réchapperais pas mon petit Louis qui, lui, pèse le double! »

En voyant l'enfant si délicat, l'abbé Jacques lui dit :

– Votre enfant est rachitique. C'est votre punition pour avoir empêché la famille.

Héléna resta sourde aux réflexions de ce beau-frère encombrant. La naissance de son enfant la réjouissait et occupait toutes ses pensées.

– Cette fois, dit-elle, de mon lit, je vais entendre les cloches de la nouvelle église sonner à toute volée spéciale-ment pour mon enfant.

– Ce ne sera pas pour aujourd'hui, lui dit l'abbé Jacques. Gustave refuse de faire baptiser son fils à Saint-Joachim de La Plaine.

— Mais c'est de l'entêtement! dit Héléna. Quand on pense, la nouvelle église est juste à côté.

— Gustave en a gros sur le cœur après avoir participé aux lettres à l'évêque, aux pétitions, aux assemblées houleuses.

— Vous savez que Gustave paie sa dîme dans les deux paroisses? Si vous essayiez, vous arriveriez peut-être à le convaincre?

Héléna savait que Jacques ne tiendrait pas tête à Gustave. Depuis qu'il était prêtre, il pliait toujours à ses cinq cents volontés, peut-être dans l'intention de se garder un pied-à-terre chez lui.

— Une église ou une autre, dit-il, c'est le même bon Dieu.

Sur ces entrefaites, Rollande et Jules frappèrent à la porte. Héléna les voyait de son lit. Jules traînait un câble enroulé autour de son bras.

— Qu'est-ce que c'est ça, p'pa? demanda Héléna.

— J'ai apporté ta balançoire, dit-il. Vu qu'elle sert pus chez moé, j'ai pensé qu'elle pourrait amuser mes petites-filles. Tantôt, je vais l'accrocher au gros érable.

— Y en faudrait deux, sinon les filles vont se l'arracher pis ça va amener des chialages à n'en pus finir.

— Si ton mari avait un câble...

— Y en a un à rien faire, dit Marianne, dans la grange d'en haut.

— Que je voie personne y toucher! rétorqua Gustave. C'est celui de la grande fourche pis y sert à monter le foin sur le grenier de la grange.

Le même après-midi, Jules accrocha la balançoire en câble à la branche la plus basse de l'érable, sous les yeux émerveillés des fillettes. Il mesura la hauteur pour que ses petites-filles puissent s'y asseoir à l'aise.

Il les installa ensuite sur la planchette, l'une en face de l'autre.

– Tenez-vous à deux mains, sinon vous allez tomber.

Les gamines se balançaient doucement, n'étant pas habituées à cette pratique.

* * *

Le lendemain, Gustave ajouta une balançoire à la même branche. Les filles entrèrent dans la maison toutes joyeuses.

– M'man! s'écria Marie-Noëlle. P'pa nous a fait une autre balançoire. Asteure, Marianne a la sienne pis moé la mienne.

Héléna ne savait que penser de son homme. Gustave avait le don de la surprendre. Était-il en train de changer, lui pour qui ses enfants n'avaient aucune importance? De nouveau, Héléna reprit confiance et son cœur à l'agonie se remit à battre.

* * *

Héléna était aux petits soins pour Louis. Elle le nourrissait au même régime que Marianne dans le temps et elle allait jusqu'à retarder son ouvrage pour le bercer tout en câlinant son petit cou délicat, quitte à courir ensuite pour abattre sa besogne et préparer ses repas à l'heure prévue.

Avec une attention assidue et une nourriture appropriée, le petit Louis reprit du poil de la bête. Grâce aux soins que sa mère lui prodiguait avec tendresse, il n'était pas différent des bébés de son âge, si ce n'était de sa beauté rare et de ses traits fins et parfaits.

Louis avait sept mois quand Héléna sentit un changement dans son corps. Ses menstruations avaient cessé depuis deux mois et des chaleurs l'incommodaient. Elle croyait vivre un début de ménopause, mais la vie en décidait autrement. À quarante ans, elle se retrouvait enceinte d'un sixième enfant, un sixième bonheur.

IV

Et courait le temps. Il courait le jour et la nuit, sans aucun repos, sans jamais s'épuiser. Le 5 septembre 1921, chez les Branchaud, on était en plein temps des foins.

Un nouvel enfant venait réclamer sa place au cœur de la famille, Juliette, une mignonne petite fille au nez retroussé et aux cheveux blonds comme les blés. Comme les cinq premiers enfants de la famille, on fit baptiser le bébé à Sainte-Anne-de-La Plaine.

Le lendemain, à l'école, Marianne Branchaud, toute joyeuse, annonçait à sa maîtresse la venue d'une petite sœur. On pouvait entendre des exclamations de joie venant d'un coin et de l'autre de la classe. Seule Josette Lafleur boudait.

— J'en veux, moé itou, une petite sœur.

— Demande au petit Jésus d'envoyer les anges en déposer un chez vous, lui dit Marianne.

— J'y ai demandé ben des fois pis ça marche pas, marmonna Josette, la mine boudeuse.

— Ben chez nous, ça marche. C'est parce que tu pries pas assez fort.

La maîtresse demanda l'attention des élèves et un grand silence s'installa dans la classe. Elle commença le cours d'histoire sainte où elle lut l'histoire de Jésus, qui pardonnait à Marie-Madeleine d'avoir commis l'adultère.

Marianne dressa l'oreille et prêta une grande attention au récit.

* * *

Le lendemain était le premier vendredi du mois. Comme c'était la coutume, les Branchaud assistaient à l'office du soir et aux confessions.

Depuis qu'elle fréquentait le confessionnal, Marianne, âgée de huit ans, se creusait chaque fois les méninges pour trouver des péchés dont elle pourrait s'accuser. Elle en revenait toujours à confesser les mêmes fautes. Enfin, elle avait trouvé un nouveau péché.

Agenouillée dans le petit isoloir, elle s'accusa d'une voix assurée:

— Mon père, je m'accuse d'avoir commis l'adultère.

— Ah oui? dit le confesseur, qui ne pouvait garder son sérieux devant une fillette d'à peine huit ans qui s'accusait d'une faute d'adulte.

Il cacha son visage dans ses mains pour que la jeune pénitente ne le voie pas rire.

— Vous savez ce que c'est que l'adultère? demanda le confesseur.

— Oui, dit-elle, c'est le péché de Marie-Madeleine.

— Ah bon! Dieu vous pardonne vos péchés, mon enfant. Avez-vous d'autres fautes à accuser?

— Non, mon père, dit la fillette.

— Dites votre acte de contrition.

Le prêtre n'arrivait pas à reprendre son sérieux. Il pinçait les lèvres.

– Pour votre pénitence, vous direz trois Je vous salue, Marie.

Marianne, honteuse, rougit de voir le prêtre rire à ses dépens.

Par la suite, Marianne refusa de fréquenter le confessionnal. Elle en était venue à considérer le sacrement de pénitence comme une torture.

* * *

On était en octobre. Le curé de Saint-Joachim passait de maison en maison pour sa visite de paroisse.

Gustave le surveillait de sa fenêtre. Dès qu'il le vit sortir de chez Lafleur, il quitta sa chaise d'un bond et, toujours aussi empressé et respectueux envers les prêtres, il ne laissa pas au curé le temps de frapper. Il ouvrit sa porte toute grande devant lui et lui serra la main. Le curé Caron posa une main sur la tête de chaque enfant et accepta la chaise que lui offrit Héléna. Il s'informa de la santé de ceux qui habitaient cette maison et des récoltes qui, cette année-là, avaient été très généreuses.

Gustave lui fit don d'un dollar pour la quête de l'enfant Jésus. Le curé sortit de sa poche un réticule en satin noir, y rentra le billet, puis leva les yeux sur Gustave.

– J'entends beaucoup de choses à votre sujet, monsieur Branchaud, dit-il. Certains m'ont dit que vous refusez de mettre les pieds dans votre nouvelle église.

Gustave le voyait venir. Le curé allait certainement lui reprocher de ne pas avoir fait baptiser ses enfants à Saint-Joachim de La Plaine.

– Y ont pas tort, j'ai toujours été contre le démembrement de Sainte-Anne-des-Plaines, pis je le suis encore. Je vois pas pourquoi je virerais mon capot de bord.

– La nouvelle église est tout près de chez vous alors que l'autre est à six milles. C'est déjà une bonne raison de la fréquenter.

– C'est le même bon Dieu là-bas, pis je paie ma dîme dans les deux paroisses. J'ai rien à me reprocher.

– Oui, mais les quêtes du dimanche s'en vont là-bas. Si tout le monde pensait comme vous, l'église de Saint-Joachim serait vide.

– Non, rétorqua Gustave, elle existerait pas.

Le curé Caron se leva et ajouta :

– Je vais quand même vous bénir.

Avant de quitter la maison des Branchaud, le curé insista :

– Faites-moi donc le plaisir de venir visiter votre église, au moins une fois.

Gustave acquiesça.

– J'irai dimanche après la grand-messe.

– Je vous attendrai sur le perron de l'église.

Le curé lui donna une franche poignée de main.

* * *

Le dimanche, au retour de la messe de Sainte-Anne-des-Plaines, tel que promis, Gustave se rendit à l'église de Saint-Joachim, où le curé faisait les cent pas sur le parvis. Comme les deux hommes entraient, Gustave tourna sur lui-même et entra à reculons. Après trois pas, il sortit et dit :

– Je suis entré dans votre église.

Le curé demeura tout pantois. « Quel entêté ! » se dit-il.

– Vous perdrez jamais votre tête de caboche, monsieur Branchaud !

* * *

Comme dans toutes les maisons du temps, un enfant poussait sur l'autre.

Jules rendait visite à sa fille régulièrement et, chaque fois, il lui apportait du brandy, qu'elle mélangeait à un œuf battu. Elle le prenait le matin pour acquérir les forces requises par ses nombreuses grossesses.

– Vous êtes ben bon, p'pa, mais le docteur me défend de prendre du brandy vu mon état.

Juliette, toujours ravie de voir son grand-père, frappait des mains. On pouvait sentir à travers ce geste enfantin son petit cœur vibrer de joie. Elle grimpa sur les genoux de Jules et passa ses bras autour de son cou. Comme à chaque visite, il la berçait une heure ou deux. Il lui disait que les oiseaux chantaient son nom. À son départ, Juliette piqua une crise. Jules arrivait difficilement à arracher ses bras de son cou, ce qui attendrissait l'aïeul et le faisait rire à la fois.

* * *

Le 22 février 1924, Héléna sentit ses premières contractions. Elle expédia les enfants chez Jeanne pour les soustraire aux hurlements qui accompagnent les fortes contractions.

À huit heures du soir, les anges déposèrent un cadeau du ciel dans le berceau des Branchaud. La petite Alice vit le jour.

Jeanne Lafleur décida de garder les enfants des Branchaud pour la nuit.

Le matin suivant, un gros vent se mettait de la partie et charriait la neige dans tous les recoins possibles. Elle s'accumulait d'un bordage à l'autre, rendant les chemins impraticables. La tempête de neige retarda la venue de Jeannine, qui devait assister aux relevailles d'Héléna.

À onze ans, Marianne dut prendre les rênes de la maison. Chaque jour, Jeanne, la cousine par alliance d'Héléna, traversait donner le bain au bébé et initiait Marianne au rôle de maîtresse de maison. La fillette savait maintenant éplucher les patates et brosser les carottes, qu'elle déposait dans une belle eau claire. Puis, elle posait le chaudron sur le bout du poêle, prêt pour la cuisson.

— À onze heures, tu tireras tes légumes sur le feu vif, pis quand tu les entendras bouillir, tu les pousseras sur le bout du poêle, où y vont continuer de mijoter jusqu'au dîner. Surveille ben les enfants, Juliette surtout. À cet âge, les petits sont fourrés partout, pis laisse-la pas s'approcher du poêle. Au besoin, tu peux la mettre dans sa couchette.

— Juliette aime pas ça, elle va chialer.

— Elle est mieux de chialer que de se brûler. À midi, je reviendrai t'aider pour rôtir la viande.

— Vous amènerez Josette avec vous?

– Non! T'auras pas le temps de t'amuser. Pis tu vois pas la bordée de neige? Avec la poudrerie, on voit rien. Même moé, j'ai de la misère à avancer.

Avant de quitter la maison, Jeanne bourra le poêle de quartiers de bois d'érable. Elle entortilla un grand foulard autour de sa tête et elle serra Marianne contre elle.

– Fais ben ça, ma grande. Tu sais, dans la vie, tout nous est remis.

Marianne ne comprenait pas trop ce genre de réflexion. Elle reconduisit Jeanne à la porte, comme le faisait habituellement sa mère avec la visite, et elle resta là à regarder Jeanne, qui, la neige au califourchon, avançait avec peine et misère pour enfin disparaître dans une bourrasque.

Et il neigeait toujours à plein ciel.

Marianne jucha Juliette sur sa hanche et se rendit auprès de sa mère.

– M'man, ça veut dire quoi «dans la vie, tout nous est remis»?

– Ça veut dire que le bien ou le mal que tu fais te sera remis par quelqu'un d'autre. Aujourd'hui, t'aides ta mère. Quand tu seras dans le besoin, quelqu'un t'aidera à son tour. On appelle ça le juste retour des choses.

– J'ai besoin de Josette pour m'aider à faire mon ordinaire. Ce serait le retour des choses.

Héléna lui sourit tendrement.

– Écoute, Marianne, ta besogne est assez lourde comme c'est là, t'auras pas le temps de t'amuser. Asteure, va surveiller les enfants.

* * *

Pour la première fois, Gustave se pencha sur un berceau, lui qui ne prenait jamais un enfant sur ses genoux, qui agissait comme si ceux-ci appartenaient à Héléna en propre. Qu'est-ce que sa petite Alice avait de plus que les autres pour que son père lui porte une attention spéciale? Gustave était-il en train de changer et de s'attendrir?

Toutefois, Héléna ne s'émouvait pas pour autant. Au fil du temps, Gustave avait tué ses sentiments, écrasé ses émotions.

* * *

Deux semaines plus tard, alors que la famille soupait en silence, Juliette enleva à demi sa couche et s'échappa par terre.

Marie-Noëlle, craignait qu'une épingle ouverte pique sa chair. Elle s'écria:

— M'man, regardez donc Juliette!

Gustave se leva, saisit la petite par un bras et la secoua comme un drapeau au vent. La petite étouffa ses pleurs. Son père exigeait le silence à table et, déjà, à deux ans et demi, Juliette savait que ses cris pouvaient lui valoir des coups. Héléna se précipita vers son mari et lui arracha l'enfant des mains en criant:

— Non, Gustave! Vous allez lui arracher un bras.

Héléna changea sa couche souillée contre une propre et serra Juliette contre elle, le temps de la consoler. Puis, elle s'adressa à Marianne:

— Passe la moppe sur le plancher.

* * *

Chaque après-midi, Gustave quittait la maison pour se rendre au garage Champoux.

Comme il passait la porte, Héléna entonna la chanson *Au bois du rossignolet*. Les enfants enchaînèrent et tout leur répertoire y passa. Héléna savait égayer sa petite famille. Si son mari avait voulu y mettre du sien, c'eût été le bonheur presque parfait, mais non, Gustave ne se rendait même pas compte que les choses pourraient être autrement.

La joie régnait pendant quelques heures dans la maison et les jeunes figures rayonnaient jusqu'au retour de Gustave, qui, dès son arrivée, éteignait les voix et les sourires. Alors, c'était comme si la mort passait dans la maison.

Héléna se taisait pour ne pas alimenter les frustrations de Gustave, sauf pour prévenir les coups. Alors là, il fallait la voir. Une vraie lionne qui défendait ses lionceaux.

* * *

À onze mois, Alice ne marchait pas. Elle avait sauté cette étape. Dès qu'elle avait pu se tenir sur ses pieds, elle s'était mise à trottiner dans la cuisine, comme si elle voulait rattraper le temps perdu de sa conception à ses premiers pas.

Le temps filait et les enfants poussaient comme du chiendent.

Un après-midi, alors qu'Héléna était occupée à sa machine à coudre, Gustave s'en prit à Alice, qui venait d'avoir trois ans. La petite enlignait les chaises pour imiter une locomotive quand son père se leva brusquement. À son air mécontent, Héléna vit bien qu'il allait lever la main sur sa fille. Pourtant, ce n'était pas un crime de déplacer les chaises. Comme la grosse main de Gustave visait la figure de l'enfant, Héléna eut tout juste le temps de saisir la petite avant que son père ne la touche. Mais Alice s'arracha aussitôt des bras de sa mère pour aller se planter devant Gustave et, les yeux au plafond, elle lui fit une grimace en tirant la langue, puis elle baissa les yeux et détourna lentement la tête avec un air de suffisance.

Héléna regarda cette petite bonne femme de trois ans braver son père. Elle s'en approcha et ne put se retenir de la serrer dans ses bras avec une immense tendresse dans le regard.

— Non, Alice. Viens colorier.

À partir de ce jour, Gustave supporta tout venant de sa petite dernière.

Le souper terminé, Gustave n'était pas sorti de table que la petite Alice, avec l'innocence de ses trois ans, grimpa sur ses genoux avec dans la main un vieux peigne édenté. La petite se faufila entre son père et le dossier de chaise et, debout dans son dos, elle peigna inlassablement ses cheveux. Gustave bougea peu. Au moindre mouvement de son père, Alice le saisissait par les oreilles et redressait sa tête sans précaution. Ses frères et sœurs, témoins de son audace, s'attendaient à une réaction violente de leur père, mais celui-ci ne bougea pas d'un poil.

Et ce fait n'était pas unique. Chaque soir, après le souper, les parents et les enfants s'agenouillaient pour le chapelet, sauf Alice. Une fois Gustave à genoux, la petite arrivait par-derrière, s'assoyait sur ses jambes et, les petites mains accrochées aux bretelles de son père, elle swingnait comme si elle dansait sur une musique rythmée. Gustave n'opposait aucune résistance. Il devait pourtant ressentir des douleurs aux jambes. Celui-ci supportait tout venant d'Alice, comme après les repas quand elle s'amusait à le peigner.

Marianne et Marie-Noëlle, témoins de ces passe-droits, se questionnaient du regard. Leur père n'aurait jamais supporté de tels agissements venant d'elles. L'étonnement se lisait sur les visages. Personne ne s'expliquait cette tolérance inhabituelle de leur père à l'égard d'Alice. Sans doute était-ce parce que la petite ne le craignait pas, ou encore parce qu'elle était charmante avec ses yeux clairs et limpides, ou était-ce à cause de son petit rire en cascade?

V

La routine reprenait chez les Branchaud.

Gustave transportait de pleines voiturées de céréales de la grange d'en haut jusqu'à la gare, d'où le train les transporterait à Montréal.

Pendant ce temps, à la maison, Héléna désherbait un immense potager tout en surveillant les enfants, qui couraient librement autour de la maison. Après avoir éclairci le carré de carottes, Héléna s'attarda à sarcler les plants de tomates.

Pendant que sa mère était occupée au jardin, la petite Alice, âgée seulement de trois ans, entra dans la maison à son insu. Elle grimpa sur une chaise, puis sur le comptoir et, de là, sa petite main rejoignit une bouteille de pilules rouges qui piquait sa curiosité. Elle avala le contenu au complet, puis sortit.

À l'heure de préparer le souper, Héléna déposa les outils de jardinage dans le hangar et se dirigea vers la maison. Comme elle arrivait au bas du perron, la petite Alice, la bouche en grimace, s'élança dans ses bras.

— M'man, j'ai mangé les bonbons rouges. Toute la bouteille!

— Qu'est-ce que tu dis, Alice?

La petite ne répondit pas. Elle s'évanouit dans les bras de sa mère.

– Mon Dieu! Non! hurla Héléna.

Elle courut à la cuisine et tenta de faire boire du lait à l'enfant, mais ce fut en vain, le lait ne passait pas dans sa gorge.

Héléna appela aussitôt, avec un tremblement dans la voix:

– Marie-Noëlle, va vite chercher ton père à la grange d'en haut pis dis-y qu'y faut aller chez le médecin, que c'est urgent! Et pis non, reste icitte, t'auras pas le temps. Occupe-toé plutôt de surveiller les enfants.

Héléna ne pouvait attendre. Gustave ne se pressait jamais quand elle avait besoin de lui. Un attelage venait cahin-caha sur la route. Dans une agitation folle, Héléna courut se placer en travers du chemin avec son enfant inanimée dans les bras et fit de grands signes de la main en s'écriant, désespérée:

– S'il vous plaît, monsieur! Arrêtez!

– Dites-moé donc ce qui se passe, madame Branchaud.

– C'est ma petite Alice. C'est terrible, terrible! Elle a avalé tout un contenant de pilules. S'il vous plaît, conduisez-moé chez le médecin.

Héléna savait bien que c'était trop tard, que la petite avait rendu l'âme, mais elle ne voulait pas le croire.

– Montez, madame Branchaud.

L'homme lui prit l'enfant des bras et une curieuse impression traversa son esprit; la petite ne bougeait pas, déjà le bleu de la mort cernait ses lèvres et ça ne lui disait rien de bon. La mère devait croire au miracle. Il rendit le petit corps à la mère et se mit à flageller sa jument, qui prit le grand trot. Les roues mordaient le gravier.

Héléna s'affolait. La bête courait ventre à terre, mais, pour elle, ce n'était pas assez rapide.

— Vite, vite! Allez donc, bon sang!

— Je voudrais ben aller plus vite, mais c'est pas possible.

— Essayez, dit-elle, le ton suppliant.

Héléna lui expliqua l'accident, mais son esprit était ailleurs. Le médecin arriverait-il à réanimer sa fille?

— Deux minutes plus tôt, expliqua la mère avec des larmes dans la voix, elle était à côté de moé dans le jardin, elle s'amusait avec des insectes.

Le charretier fouaillait encore et encore sa jument, mais la pauvre bête ne pouvait faire plus.

Chez le médecin, l'homme descendit de voiture en vitesse, prit l'enfant des bras de sa mère et courut à l'intérieur.

— Vite, docteur, la petite s'est empoisonnée.

— Avec quelle sorte de poison?

— Des pilules que vous avez données à Gustave Branchaud pour la douleur. Je ne me rappelle pas le nom. Madame Branchaud est mieux placée que moé pour vous le dire.

— Ce ne sera pas nécessaire. Déposez l'enfant sur la civière.

Le médecin ne put que constater le décès.

Héléna, les yeux exorbités, cria: «Mon Dieu! Pas ma petite Alice! C'est ma faute, j'étais dans le jardin!» Et sa voix s'étrangla dans sa gorge et se termina en un long hurlement.

Le médecin pouvait lire dans ses yeux toute la douleur d'une mère. Il la conduisit à une chaise, où elle s'effondra en continuant de hurler sa douleur. Son mal à l'âme n'avait rien de comparable à une souffrance physique.

— Monsieur Martin, dit le médecin, vous pouvez nous laisser. Je me charge de ramener madame chez elle.

Arrivé chez les Branchaud, le médecin conduisit Héléna à la chambre du bas et lui fit ingérer un calmant. Il s'approcha ensuite de Marianne.

— Ma petite fille, tu vas devoir remplacer ta maman pendant quelques jours pour la laisser se reposer.

— Et Alice, elle va aller mieux?

— Ta petite sœur est rendue au ciel.

À quinze ans, Marianne avait l'âge de comprendre qu'Alice ne reviendrait pas. Elle échappa de courts soupirs étouffés. Le médecin lui tapota l'épaule.

— Je sais que c'est difficile, mais il faut que tu sois forte. Va chercher ton père.

— Y s'en vient.

Comme Gustave entrait, le docteur lui fit signe de le suivre au salon, où il lui expliqua le drame. Gustave blêmit. Sa chère petite Alice qui montait sur ses genoux et mettait ses doigts dans ses oreilles n'était plus. Elle qui le bravait en tournant et retournant sa langue, prête à grimacer, était morte à trois ans seulement. Gustave, que rien ne semblait atteindre, était bouleversé.

Le médecin parti, il se rendit à sa chambre pour cacher sa souffrance, mais il ne s'attendait pas à y trouver Héléna, vu que celle-ci avait déserté le lit conjugal depuis la naissance d'Alice. Sa peine se changea en colère.

— C'est votre faute, dit-il, vous n'avez pas été capable de la surveiller.

– Je le sais, marmonna Héléna, l'air absent.

Gustave n'ajouta rien. Il sortit en claquant la porte.

Dans la cuisine, Marie-Noëlle avait entendu son père accuser sa mère, comme si celle-ci n'était pas assez affligée par la mort d'Alice. Elle le suivit des yeux jusqu'au garage Champoux.

* * *

Héléna sanglota tout au long de la cérémonie des anges.

Au cimetière, toute la famille et quelques voisins se regroupèrent derrière le curé et l'abbé Jacques. On déposa le petit cercueil blanc sur le gazon vert, le temps que le célébrant adresse quelques mots de consolation à la famille, puis on le descendit dans le trou à côté d'un tas de terre qui le recouvrirait bientôt.

***

Dans la voiture qui ramenait la famille Branchaud de l'église, Héléna ne cessait de sangloter. Le petit corps de son enfant gisait dans une boîte qu'on venait de mener en terre et elle s'en voulait de l'abandonner au cimetière.

– Mon Dieu! Se peut-il que je souffre tant!

Gustave s'indignait contre elle. C'était sa façon à lui de se révolter contre la mort d'Alice.

– Brailler la ramènera pas. C'était à vous de la surveiller quand c'était le temps.

– Vous avez raison, dit-elle entre deux hoquets, mais je pouvais pas être à deux endroits à la fois.

Maintenant, c'est fini d'aider à l'extérieur. Je resterai à la maison et je surveillerai les enfants. Vous vous débrouillerez avec votre train, le jardin pis tout le tralala. Si j'étais restée dans ma cuisine, ma petite Alice, mon bébé, serait encore en vie. Même chose pour vous, si vous aviez jeté vos restes de médicaments.

Depuis la mort de sa fille, Gustave, qui n'avait jamais regardé sa femme, la toisa des pieds à la tête pour mieux la mépriser. Mais, depuis quelque temps, les foudres de Gustave n'atteignaient plus Héléna. Son mari n'avait jamais su exprimer ses sentiments autrement que par des colères ou par de longues bouderies. Jamais un courant de tendresse ou une complicité amoureuse à son endroit. Il en était incapable. Héléna, qui avait assez souffert par le passé du mauvais caractère de son mari, n'éprouvait plus ni haine ni rancune à son égard, seulement de l'indifférence.

Depuis le jour où la grande faucheuse lui avait pris sa petite Alice, Héléna traînait sa peine comme on traîne un vieux mal dont on ne guérit jamais.

VI

Le malheur semblait s'acharner sur la maison des Branchaud.

L'hiver 1928 fut une autre année éprouvante pour Héléna. Marc, Émile, Louis et Juliette avaient tous la coqueluche en même temps. Les nuits étaient terribles. Émile, un enfant délicat, était le plus malade des quatre. Les yeux rougis et gonflés, il était pris de quintes de toux inquiétantes, suivies de crachats et de vomissements.

Au petit matin, la fièvre monta. Héléna fit asseoir le petit malade dans son lit et appuya sa tête sur son épaule pour l'aider à mieux respirer. Elle sentit la chaleur du petit corps décharné contre le sien. Elle paniqua. À onze ans, son petit Émile était en train de mourir et ça la rendait folle. Puis, ses quintes de toux s'atténuèrent pour cesser complètement pendant quelques minutes. Mais ce n'était qu'un sursis, peu de temps après, les accès de toux reprirent de plus belle. Émile, épuisé, maigrissait à vue d'œil. Il mangeait et dormait peu. Héléna profitait des accalmies pour s'occuper de la lessive, des repas, de la vaisselle, mais le temps manquait. À son tour, Juliette toussait, crachait et vomissait. Héléna passait ses nuits à courir de l'un à l'autre sans penser à son bien-être. Et pendant qu'elle soignait ses enfants, en bas, Gustave criait aux tousseurs :

— Fermez-la!

La toux des enfants dérangeait son confort.

Après deux semaines de ce régime sans sommeil, Héléna était épuisée, amaigrie, défigurée.

Marianne entendit un boum sourd sur le plancher. En voyant sa mère par terre, elle la crut morte. Comme son père était parti à Montréal ce jour-là, la fillette courut chercher monsieur Grenon, le plus proche voisin.

Lorsque Héléna reprit connaissance, elle sentit une main toucher sa nuque. Grenon était agenouillé près d'elle, le corps penché en avant et ses yeux inquiets plongés dans les siens.

Pourquoi son voisin la regardait-il si intensément? Il ne l'avait jamais observée comme cela.

— Voyons! dit-elle. Qu'est-ce que je fais par terre?

Héléna, un peu gênée de sa posture, tenta de se relever, mais les murs valsaient autour d'elle.

— Vous vous êtes évanouie. Appuyez-vous sur mon bras, je vais vous conduire à votre lit, pis après, je vais monter au village chercher le docteur Coupal.

— Faites donc ça! Ce serait une bonne chose qu'il ausculte les enfants. Émile en mène pas large. Je me demande si y va s'en sortir.

Grenon parti, Héléna retourna à la cuisine et reprit sa besogne.

* * *

En entrant dans la maison, le médecin s'occupa d'abord de la mère. Il l'observa avec attention. Il connaissait bien cette femme pour l'avoir maintes fois accouchée, et, dernièrement, elle avait perdu une enfant. Ce jour-là, il trouvait qu'elle avait mauvaise mine. Elle était méconnaissable avec ses joues creusées et ses yeux enfoncés. Il prit sa pression et compta ses battements de cœur.

— Avez-vous des quintes de toux ?

— Non, dit-elle.

Le médecin soutenait son regard.

— C'est un excès de fatigue dû à la surcharge de la maisonnée. Vous êtes épuisée. Vous allez avoir besoin d'aide sans tarder, sinon ce sera à votre tour d'attraper la bactérie. Connaissez-vous quelqu'un qui pourrait vous aider ?

Les petits malades, le visage rougi, les yeux vitreux, étaient assis sagement dans les berçantes avec une couverture de laine sur les épaules. Et le bal de la toux perdurait. Émile étouffait et, à chaque quinte, il n'arrivait plus à reprendre son souffle. Sa respiration produisait un bruit long et sifflant. Il était d'une extrême maigreur, il ne tenait plus sur ses jambes. Héléna s'en approcha, toujours disponible, même si elle ne pouvait rien pour lui.

Le médecin prit sa température et demanda à parler à la mère en privé.

— Celui-là ne passera pas à travers. Soignez-le bien pour le temps qu'il lui reste, dit-il.

Ses paroles tombèrent comme un glas. Héléna, déjà épuisée, éclata en sanglots. Après le décès d'Alice, ce serait au tour d'Émile. Une douleur atroce transperça son cœur de mère.

— Je vais pas en perdre un autre, docteur? Le bon Dieu peut pas me faire ça!

Héléna redoutait cet aboutissement, mais le médecin venait de confirmer ses craintes. Cependant, elle refusa de baisser les bras. De grosses larmes s'attardèrent sur ses joues creuses.

— Je vais mourir avec lui, dit-elle.

Le médecin sortit de sa trousse un contenant d'aspirines.

— Vous feriez bien de tenir la pièce sombre. Il vaut mieux s'entourer de précautions pour ménager la vue des enfants. Faites-les boire et manger pour éviter qu'ils se déshydratent et s'affaiblissent davantage. Je ne peux rien faire d'autre. La maladie dure trois mois, mais, après trois semaines, la toux s'atténue progressivement. Elle disparaîtra complètement dans le courant de l'été. Et vous, n'hésitez pas à demander de l'aide. Vos enfants ont encore besoin d'une mère.

Sur ce, le docteur Coupal sortit. Une fois sur le perron, il colla sur la porte extérieure une grande pancarte où on pouvait lire, écrit en grosses lettres: QUARANTAINE.

Le docteur avait dit trois semaines critiques avant que la toux s'atténue. Héléna compta les jours. Émile avait commencé à tousser le vendredi 2 mars et on était le 19. Il ne restait donc que deux jours décisifs avant que sa toux diminue un peu. Et si Émile s'en tirait?

— Écoute, Émile, je veux que tu t'efforces de manger pendant trois jours. Je sais que je t'en demande beaucoup, mais ensuite, ta toux va diminuer. Le docteur l'a dit. Tu me comprends?

Pour toute réponse, deux grands yeux vides la regardèrent.

Héléna embrassa son front moite et caressa ses bras squelettiques. «Pour le temps qui y reste, je vais le gaver d'affection», pensa-t-elle.

* * *

Cinq heures. Le train entrait en gare.

— Marianne, cours à la station demander à ton père s'il peut aller au village chercher de l'aide avant de commencer son train.

Deux minutes plus tard, Marianne revenait en disant:

— P'pa fait dire qu'y a pas le temps, qu'y est pas question de retarder son train.

— Tu y as dit que j'étais au bout du rouleau?

— J'y ai dit que vous avez fait l'étoile pis y pas répondu. Je peux y aller, moé. Je serais capable, vous savez! Que p'pa attelle Fanette pis vous allez voir de quoi je suis capable.

— Non! Laisse. J'ai trop besoin de toé icitte. Va plutôt demander à Jeanne Lafleur si elle peut laisser le magasin pour me donner un coup de main, pis reviens vite.

Héléna sortit deux draps de la grosse armoire et les épingla aux fenêtres pour protéger les yeux larmoyants des petits.

Marianne revint à la course.

— Cousine Jeanne fait dire qu'elle va venir tantôt.

Marianne regarda sa mère juchée sur une chaise, les bras en l'air.

— M'man, reprit Marianne, grimpez pas sur les chaises, vous allez encore tomber. Vous êtes toute branlante. Donnez, je vais le faire.

Quand Gustave revint de l'étable, la cuisine était sombre comme à l'église lors des funérailles religieuses, lorsque toutes les ouvertures et les statues étaient recouvertes de noir en signe de deuil.

Gustave, les dents serrées, savonna ses mains et se fit couler un verre d'eau. Il détestait qu'on change ses habitudes. Il se prenait pour un roi devant qui tous les sujets devaient s'incliner, et, au moindre dérangement, il perdait ses moyens. Il rageait intérieurement et ça se voyait à son regard furieux.

— Bon! Qu'est-ce qui se passe icitte, encore?

Héléna lui expliqua:

— Le médecin m'a recommandé d'assombrir la cuisine pour ménager la vue des enfants.

— De quoi y se mêle, lui, pour venir mener dans ma maison?

Héléna ne répondit pas. Elle préférait ignorer ses remarques déplaisantes. Elle avait épuisé le reste de ses forces en suspendant les draps aux fenêtres, et, maintenant, elle ne pouvait plus avancer tant elle était épuisée.

Le repas n'était pas prêt et Gustave détestait attendre. Doublement enragé, il lança son verre et fit éclater le petit miroir au-dessus de l'évier. Il arracha les draps suspendus aux fenêtres et les lança sur la huche à pain. Il s'assit ensuite au bout de la table, le poing sur la joue, et attendit qu'on le serve.

Héléna ne tremblait plus devant son homme, mais les enfants, effrayés, laissèrent échapper des petits soupirs retenus. Héléna les prit un à un dans ses bras et les conduisit à leur chambre. Ensuite, elle revint à la cuisine plier les draps. Elle les suspendrait aux fenêtres des chambres quand ses forces le lui permettraient.

Le repas attendait. Jeanne devrait s'en occuper.

En entrant dans la maison, Jeanne retint une grimace.

— Ça sent la maladie à plein nez icitte, y va falloir ouvrir.

Soudain, Jeanne aperçut le miroir brisé et les éclats de verre sur le plancher.

— Qu'est-ce qui s'est passé?

Héléna supportait les colères répétées de Gustave, mais, maintenant, elle refusait de les camoufler.

— Demande à mon mari.

Jeanne ne devait rien à Gustave Branchaud. Elle ne se laisserait pas intimider par lui.

— En bout de ligne, c'est vous que vous punissez, monsieur Branchaud. Vous aurez pus de miroir pour vous raser. Tant pis!

— C'est moé, reprit Héléna, qui le rase depuis que je suis mariée.

— Toé? Ben, t'es une sainte! Je peux t'aider le jour, mais je retournerai à la maison chaque soir si je veux tenir le coup. Bon là, tu tiens pus deboutte sur tes jambes. Va te coucher.

* * *

Héléna faisait le décompte. Chaque nuit était un jour de gagné pour Émile et elle s'encourageait comme un enfant qui compte les dodos qui le séparent de Noël. Elle en était rendue à compter les heures, et son combat contre le temps la tenait éveillée.

La semaine fut interminable. Les trois jours critiques passés, Émile allait probablement s'en tirer. Héléna respirait d'aise.

Elle commençait tout juste à remonter la pente quand elle vit l'abbé Jacques sortir de la gare et traverser le chemin à grands pas, la soutane tout effilochée. L'abbé Jacques avait le don de toujours surgir au mauvais moment.

— Bon, regarde-moé donc qui s'amène! dit Héléna, qui alimentait une hostilité sourde envers l'abbé Jacques.

— On va avoir de l'aide, reprit Jeanne, moqueuse.

Gustave ne dit rien. Héléna, elle, sourit de la réflexion de sa cousine. Quand on pense que l'abbé Jacques n'était qu'une nuisance. Jeanne ajouta:

— Quand y va voir la pancarte sur la porte, y va revirer ben raide.

Mais rien n'empêchait l'abbé Jacques de visiter la famille pendant ses congés. Sitôt entré, il commanda à Héléna:

— Vous me préparerez une chambre en haut.

Jeanne intervint aussitôt.

— Le docteur a mis Héléna au repos complet. Depuis, c'est moé qui mène icitte. Malheureusement, y a pas de chambre de libre en haut, Héléna couche dans la chambre à visite le temps de la coqueluche pour s'occuper des petits. Vous avez qu'à dormir avec Gustave.

– Héléna, on dit de vous que vous avez des doigts de fée. Si vous aviez une minute à me consacrer, ma soutane aurait besoin d'être reprisée.

De nouveau, Jeanne ne laissa pas à Héléna le temps de répondre.

– Vous voyez donc pas qu'elle tient pus deboutte?

* * *

L'abbé Jacques, dérangé par la toux des enfants, ne put fermer l'œil de la nuit.

Le lendemain, au déjeuner, il dit à Gustave:

– Ton petit Émile va mourir.

Gustave ne réagit pas. Héléna, elle, trouvait qu'Émile prenait un petit peu de mieux.

– Émile mourra pas. Y va mieux, Dieu merci! Si vous l'aviez entendu y a deux semaines, vous le trouveriez beaucoup mieux. Le docteur l'avait décompté.

– Permettez-moi d'en douter. Ça ne pouvait pas être pire.

– Pourtant!

Après un silence, Gustave congédia Jeanne.

– Vous pouvez vous en retourner. Elle va aider à la maison pis à l'étable, dit-il en donnant un coup de tête vers Marianne, sans la nommer. Elle laissera l'école.

L'abbé Jacques ne disait rien.

Héléna était contre cet arrangement qui retarderait les classes de Marianne. Cette décision devait venir de l'abbé Jacques, supposait-elle. Il répétait à qui voulait l'entendre que les filles n'avaient pas besoin de s'instruire, que moins elles en savaient, mieux c'était.

— Si vous voulez, Gustave, on reparlera de ça entre nous. Nos histoires de famille n'intéressent pas votre frère.

Marianne tempêta.

— Comptez pas sur moé! Je veux pas perdre une année complète pour ensuite me retrouver dans la même classe que Marie-Noëlle. Trouvez-vous une aide ailleurs! Pourquoi pas Cécile à ma tante Fernande?

— Pourquoi Cécile, intervint Jeanne, quand je suis déjà là?

Gustave ignora Jeanne. Il leva les yeux sur Marianne.

— Tu resteras à la maison, trancha-t-il.

Les semaines suivantes, la maladie des enfants s'atténua très lentement, jusqu'à disparaître complètement avec les chaleurs de l'été.

VII

Gustave commandait sans cesse Marianne, qui fulminait. Mais c'était pour rien, son père avait toujours le dernier mot.

— Arrive, toé! J'ai besoin d'aide au train.

L'adolescente se tourna vers sa mère.

— Je veux m'en aller chez mémère.

— Pas question! trancha Gustave. À l'avenir, tu resteras icitte pour m'aider.

Héléna intervint.

— Aider à quoi?

— À traire les vaches.

— Marianne est pas forte, intervint Héléna. Ce serait ambitionner sur ses forces.

Gustave ne discuta pas.

— Qu'elle gagne son pain!

Il donna un coup de tête de côté.

— Arrive, toé!

Héléna n'aimait pas mettre l'autorité du père en question. Elle tenait à inculquer de bons principes à ses enfants.

— Va mettre tes vieilles galoches, Marianne.

Marianne essaya de traire la vache et, comme elle n'y arrivait pas, elle revint à la maison en tempêtant. Son père la suivit. Il l'attrapa par un bras et la ramena à son banc à traire.

— Tirer les vaches, ça s'apprend. Pis tiens-toé drette !

* * *

On était le 1ᵉʳ août et une chaleur accablante embrasait la campagne.

Tôt ce matin-là, Gustave prit le train pour Montréal. Il ne devait revenir qu'à cinq heures. Comme chaque début de mois, il se rendait collecter ses loyers et faire ses placements. Il profiterait de l'occasion pour rendre visite à son frère Rosaire, curé de Rosemont.

Sitôt Gustave parti, à la maison, Héléna sentit une joie la traverser. Elle prépara un plein panier de sandwichs, du céleri, des concombres, des radis, quelques pommes, des fraises et un pot de jus d'orange et citron.

— On va aller passer la journée chez votre grand-mère et, avec sa permission, on fera un pique-nique dans la cour arrière. Toé, Marianne, va demander à monsieur Grenon s'il serait assez aimable de venir atteler Fanette à la barouche.

Léandre Grenon connaissait la situation de sa voisine, qui n'allait jamais plus loin que le bout de son perron et qui devait supporter le sale caractère de Gus Branchaud. Sa femme, Reina, était au courant de ce qui se passait dans toutes les maisons et elle en parlait à tout le monde sur le ton du secret.

— Dis à ta mère qu'elle peut compter sur moé.

Grenon pensait : « Pour une fois qu'elle peut faire une sortie qui la change de son quotidien ! »

Héléna était un peu honteuse de déranger son voisin en plein cœur de l'avant-midi. Quand celui-ci fut chez les Branchaud, elle lui dit :

— Si Gustave apprend que j'ai eu recours à vos services, y sera pas de bonne humeur.

— C'est pas moé qui vais y dire. Pis à votre retour, vous aurez qu'à me faire signe, je viendrai dételer. Ça me fera plaisir de vous rendre ce service.

— Merci de votre offre, mais je crois que je serai capable de dételer. Du moins, je vais essayer avant de vous déranger de nouveau.

Les enfants sautaient, s'excitaient et parlaient tous en même temps. Ils sortaient si rarement. Leurs seules sorties étaient la messe et les visites à leur tante Agathe parce que leur père et leur oncle Antoine s'entendaient bien.

Héléna demanda à Marie-Noëlle d'apporter le grand parapluie à cause du soleil, et à Marianne de surveiller les enfants le temps d'approcher Fanette du perron.

— Maintenant, venez, montez !

Héléna monta à son tour dans la petite voiture de famille et commanda le cheval au pas :

— Hue, Fanette !

La jument décolla lentement, à pas de poule, en regardant à terre. Rien ne rendait Héléna plus heureuse que de faire plaisir à ses enfants. Et en ce matin chaud d'été, il lui semblait que le ciel et la terre n'existaient que pour eux.

Quelques femmes dans les champs sarclaient des sillons de légumes. Au bruit de l'attelage, elles s'arrêtèrent pour les regarder passer.

À mi-chemin du village, Héléna aperçut au loin la Cabelote qui marchait à grands pas. Elle tenait un fanal éteint à la main, sans doute dans l'intention d'éclairer ses pas à son retour – parfois les gens la voyaient revenir tard le soir. Héléna hésitait à l'inviter à monter dans sa voiture, puisqu'elle prêchait à ses enfants de s'en tenir éloignés. Comme l'attelage allait la dépasser, la Cabelote écarta les jambes et urina sur place, ce qui rappela à Héléna l'odeur nauséabonde qu'elle dégageait. Héléna commanda Fanette au trot. Tout le reste du chemin, elle se reprocha son esprit mesquin. La Cabelote allait parcourir encore trois milles à pied par sa faute.

Quelques maisons plus loin, assis sur leur seuil, un couple de vieillards, pieds nus, causait à mi-voix en cette magnifique matinée. Arrivée au village, Héléna aperçut Cordélia qui se berçait sur la galerie.

– Les enfants, faites des bonjours à votre tante.

Les plus jeunes frappèrent des mains.

– Restez assis! Je veux pas en voir un se lever de son siège avant que je vous le dise.

Arrivée dans la rue de l'église, Héléna tira à hue et l'attelage s'engagea dans la cour de la maison jaune.

La vieille Augustine sortit tranquillement, s'approcha de la voiture et reçut les enfants dans ses bras.

– Venez, mes petites-filles, j'aime ben ça vous voir. Et elle ajouta: Vous auriez dû nous avertir, Cordélia pis moé, on vous aurait préparé un bon dîner.

Héléna intervint :

— On est pas venus icitte pour vous donner de l'ouvrage, avec cette journée écrasante. J'ai apporté tout ce qu'y faut pour pique-niquer et j'en ai pour tout le monde, si vous nous prêtez votre cour, naturellement.

L'après-midi, Marc et Émile amenèrent Louis et les jumeaux se lancer la balle sur le terrain derrière l'église. Les filles s'amusèrent dans la cour avec un cerceau que Cordélia s'était procuré quelques années plus tôt pour distraire Marianne, Juliette et Julie se lancèrent un ballon rouge, et les femmes bavardaient tranquillement dans la balançoire en bois.

Cordélia, assise contre Héléna, lui murmura :

— J'avais justement affaire à vous parler, Héléna. Je serais prête à garder Marianne pis Marie-Noëlle pour le temps des classes. Elles pourraient partager la chambre de Julie. Y reste à peine deux mois, y serait grand temps d'y penser.

— Je sais pas si Gustave va accepter ça. Marianne l'aide au train soir et matin. Y a ben tenté d'y faire traire la vache, mais elle a pas été capable de tirer une goutte de lait.

— Quoi ? Traire la vache ? Chez nous, les filles ne trayaient pas les vaches, c'était l'affaire des garçons. C'est ben Gus, ça ! Entendez-vous ça, m'man ?

La vieille Augustine pencha la tête.

— C'est vrai que la petite est un peu délicate pour ces travaux. Mais dites-moé donc ce que dit Gustave au sujet du pensionnat ?

— Y refuse net. J'ai eu beau insister, y s'entête dans son idée de les garder à la maison. Y dit que pour laver des couches, les filles ont pas besoin d'instruction.

Cordélia insista pour les prendre chez elle pour la semaine.

— Pourquoi les placer dans un pensionnat quand, icitte, on a l'école des Sœurs? Pis en plus, ça y coûterait pas une cenne.

Héléna voyait plus loin. Ce serait tout un contrat. Après Marianne pis Marie-Noëlle, ce serait Marc pis les autres. Ça n'en finirait pus.

— Avant, je vais en parler avec Gustave, pis je vous reviendrai là-dessus. C'est lui qui décide tout à la maison.

— Comme je connais Gus pis sa tête de cochon, dit Cordélia, y va refuser.

— Baisse le ton, Cordélia, ordonna la vieille, les enfants entendent tout ce qu'on dit.

Après un après-midi merveilleux dans la balançoire, Héléna se leva.

— Bon, déjà trois heures. Le temps passe vite en bonne compagnie! Je dois partir si je veux arriver avant Gustave. J'ai le souper à préparer. Marianne, va chercher les garçons, pis toé, Marie-Noëlle, va porter les jeux en dedans.

— Oh non! s'écria Marie-Noëlle. Avant de partir, je veux que mémère nous fasse rôtir des tranches de patate sur le poêle à bois. Vous nous en faites jamais parce que ça salit trop vos ronds de poêle.

Et elle ajouta en bougonnant: « Comme si ça se lavait pas. »

— C'est vrai que ça colle pis que y a pus moyen de faire partir ça, dit Augustine, mais je vais vous en faire quand même.

— Non, madame Branchaud, vous allez pas chauffer le poêle au boutte en plein cœur de l'été. Venez, tout le monde! Montez dans la voiture. On peut pas venir au village sans passer dire un bonjour à votre petite sœur au cimetière.

Héléna détacha Fanette du piquet.

— Hue, Fanette!

Au cimetière, Héléna fit s'agenouiller tous ses enfants sur la tombe d'Alice et s'y recueillir un moment – pas longtemps, elle ne voulait pas attrister ses enfants, ils étaient si jeunes. Quand elle se releva, des larmes inondaient son visage. Elle se moucha et s'efforça de sourire.

— Bon! Asteure, on s'en va à la maison.

Sur le chemin du retour, par cette fin d'après-midi tranquille, les villageois assis sur leur perron regardaient passer la petite famille Branchaud. L'attelage allait au pas. Héléna laissa la bride sur le cou de sa bête, qui, d'instinct, tournait aux coudes du chemin et ainsi jusqu'à son écurie sans qu'elle n'ait à tirer un guide.

Héléna s'informa.

— Vous avez aimé votre journée?

Les enfants étaient tous heureux, sauf Marie-Noëlle, qui grimaçait.

— Pas moé, dit-elle. Je voulais des patates rôties.

— Si c'est si important pour toé, je t'en ferai au souper. Maintenant, on va chanter *À la claire fontaine*.

* * *

À cinq heures, Gustave descendit du train et rentra chez lui. Il traversa la maison et se rendit à la chambre échanger ses vêtements propres contre sa salopette de travail. Au retour, il déposa sur la table des oranges et des bonbons, puis fila à l'étable.

Les enfants se ruèrent sur les gâteries. Héléna, abasourdie, laissa échapper deux mots qui traduisaient toute sa surprise.

— Pas possible !

Elle n'osa pas remercier leur père, c'eût été l'agacer. Gustave était un homme que les sensibleries irritaient.

Héléna ne savait que penser de cette petite vague de chaleur humaine. Gustave Branchaud cachait-il un cœur sous sa carapace ? Jamais son mari n'avait eu d'attentions pour les siens. Et, pour comble, des bonbons, lui qui ne dépensait jamais un sou qui ne rapporterait pas. Gustave était-il en train de changer ? Ce serait une bonne chose pour les enfants, même si, pour elle, il était trop tard.

Marc et Émile pigeaient à pleines mains dans le sac et remplissaient leurs poches de jujubes et de bonbons clairs. Héléna dut tempérer leur gourmandise. Elle leur donna une petite tape sur les doigts et quelques bonbons s'en échappèrent.

— Laissez-en aux autres, dit-elle.

— Viens, Émile, on va aller voir si y a encore du bois à corder sous la remise.

Toutes les raisons étaient bonnes pour disparaître. Les gamins coururent se cacher derrière la laiterie, où ils pourraient se gaver de bonbons sans être vus.

Quand Gustave sortit de la grange, les garçons avaient encore le rire aux yeux et des jujubes plein la bouche. Marc donna un coup de coude à son frère Émile pour l'avertir de la présence de son père. Un seul regard de leur père suffit et les sourires disparurent.

Gustave éteignait les petits bonheurs de ses enfants.

Le soir, les enfants au lit, Héléna descendit à la cuisine. Elle se demandait si Gustave était au courant de leur pique-nique. Elle s'attendait à ce que les enfants lui rapportent tout, mais non, il ne dit rien.

Héléna allait monter dans sa chambre quand elle vit bouger une lumière dans la nuit noire, une lumière qui ressemblait à une étoile. Elle s'approcha de la fenêtre et reconnut la Cabelote qui passait devant sa porte à grands pas avec son fanal allumé.

VIII

Le lendemain, Gustave se trouvait mal en point.

– Faites venir le docteur, ordonna-t-il.

Un mal de reins l'empêchait de se lever et la douleur irradiait dans toute sa jambe droite.

Héléna restait froide devant la douleur de son mari. Elle ne ressentait plus ni sentiments ni sympathie à son endroit. Elle se rendit à la cuisine, où elle écrivit une note à monsieur Champoux lui expliquant en gros le mal de Gustave et lui demandant d'aller chercher le médecin.

– Tiens, Marc. Va au garage porter ce papier à monsieur Champoux.

Trois heures plus tard, le médecin examina Gustave et diagnostiqua une hernie discale.

– J'ai pas de remède pour vous. Il faut laisser le temps faire son œuvre.

– Combien de temps? demanda Gustave.

– Peut-être deux mois, deux mois et demi. Je vais vous laisser un analgésique. Vous prendrez deux comprimés aux quatre heures, mais pas davantage.

Les pousses vertes sous le soleil blondoyaient à l'infini. Les récoltes promettaient. Le blé était prêt à mettre en gerbes.

– Aujourd'hui, je devais commencer à faucher, pis là, je suis cloué au lit.

— Trouvez-vous de la main-d'œuvre.

— De la main-d'œuvre! C'est facile à dire, marmonna Gustave.

* * *

À partir de ce jour, à tour de rôle, des voisins charitables s'occupèrent du train soir et matin.

Après cinq jours au lit, Gustave ne voyait aucune amélioration à son état. Héléna soignait son mari comme un bébé, ce qui exigeait d'elle un surplus d'ouvrage.

Par un beau dimanche midi, Héléna déposait une assiettée de fèves au lard devant son homme quand elle entendit frapper deux coups francs à la porte, puis trois. Marianne appela:

— M'man, y a un monsieur sur le perron avec deux valises.

Héléna pensa aux vendeurs itinérants, qui traînaient toutes sortes d'objets dans leurs valises.

— Ce doit être un colporteur. J'arrive!

Un homme élégant, dans le début de la quarantaine, se tenait sur le pas de la porte avec un sourire charmeur au coin des lèvres.

Le regard d'Héléna s'arrêta sur ses vêtements de ville, un habit en toile beige de bonne coupe et un canotier en paille dorée. En plus d'une besace sur le dos, il traînait au bout de ses bras deux grosses valises qui pesaient lourd et auxquelles il semblait très attaché.

— Vous désirez?

— Bonjour, Héléna.

— Vous connaissez mon nom? Qui êtes-vous?

— Gilbert, votre beau-frère. Je reviens au pays.

Son parler était simple et doux.

— Vous êtes Gilbert Branchaud? Le Gilbert du bout du monde?

— En plein ça! Un revenant.

— Entrez donc! Je suis là qui vous laisse sur le perron. Je suis impardonnable.

— Je peux déposer mes valises?

— Mais oui, faites comme chez vous.

Son beau-frère semblait heureux de retrouver son ancienne demeure.

Son regard fit le tour de la pièce. Rien n'avait changé. Tout était propre, intime, presque gai. Sur le poêle, la même bouilloire ventrue ronflait et des collants à mouches en spirale de couleur dorée pendaient ici et là dans la cuisine, comme au temps où il habitait cette maison. Dans l'escalier, une gamine maigrelette descendait les marches sur les fesses. Et il y avait cette femme vêtue de noir, aux épaules étroites, au cou gracieux, au sourire triste et au regard humide sous ses longs cils noirs. C'était bien cette Héléna dont parlait Cordélia dans ses lettres. Et il pensa à Laura, une amie chère restée aux États.

En même temps, Héléna étudiait son beau-frère. Gilbert avait un sourire où se mêlaient l'amusement et la moquerie, une bouche appétissante, et toujours ce sourire. Héléna ressentit aussitôt un certain attrait pour ce grand voyageur – pas de sentiments, elle n'avait pas le droit, elle était mariée. Ce retour subit l'étonnait; Cordélia lui avait déjà raconté que Gilbert et Gustave étaient en froid depuis des années. Elle se demandait bien comment Gustave accueillerait son frère, mais comme son homme était cloué au lit et que sa position ne lui permettait pas d'user de violence, Héléna offrit l'hospitalité à Gilbert.

— Donnez-moé votre chapeau. Vous devez avoir faim ? Je vous prépare une petite collation, pis je vous écoute me raconter votre grande aventure.

Tout en tendant l'oreille, Héléna sortit un bol qu'elle remplit de pouding au pain et qu'elle arrosa de sirop d'érable. Elle sortit deux tasses de l'armoire et s'affaira à préparer le café.

Louis et Juliette restaient plantés devant l'arrivant. Un homme, presque un étranger, entrait dans leur maison et voilà que, sitôt entré, leur mère le recevait à manger. Gilbert sortit de sa poche un étui en or et alluma une cigarette.

— Venez, les filles ! Approchez, c'est votre oncle. Celles-là, ce sont mes grandes : Marianne pis Marie-Noëlle. Pis là, Marc, Émile, Louis et Juliette. Dommage ! Vous connaîtrez jamais ma petite dernière, Alice, qui, depuis un an, dort à six milles d'icitte dans une boîte de bois au cimetière de Sainte-Anne. J'aurais préféré qu'elle soit enterrée à Saint-Joachim, qui est tout près. J'aurais pu aller la visiter plus souvent, fleurir sa tombe, mais non, Gustave boude toujours notre nouvelle paroisse.

— Cordélia m'en a parlé dans une lettre. La petite avait quel âge ?

— Trois ans et demi, dit Héléna, la gorge serrée.

Héléna ne pouvait nommer sa petite disparue sans ravaler sa peine.

— C'est ben trop jeune pour partir, dit-il. Vos enfants sont tous beaux, Héléna, ajouta-t-il après un moment.

Le compliment l'atteignit droit au cœur. Jamais Gustave ne lui avait fait une pareille remarque. En plus d'être séduisant, Gilbert était flatteur.

— Vous allez les rendre orgueilleux, dit-elle.

— Je l'espère ben. L'orgueil est pas un défaut. Au contraire, il donne de l'assurance.

— À l'école, on nous apprenait que c'était un des sept péchés capitaux.

— Alors vous avez devant vous un grand pécheur.

— Vous êtes venu pour des vacances ?

— Non, je suis revenu pour m'installer.

— Gustave est malade, mais si vous tenez à y parler, vous pouvez passer à la chambre.

Héléna regarda Gilbert reprendre ses valises qui semblaient lourdes et qu'il ne lâchait pas d'un pouce.

— Je peux prendre soin de vos valises, dit-elle.

Gilbert les déposa à ses pieds.

La porte de chambre laissée ouverte permettait à Héléna de suivre la conversation des deux frères.

— Salut, Gus ! dit Gilbert. Ça va pas trop fort, d'après ce que j'ai entendu dire.

— Ouais !

— J'ai reçu un télégramme de Cordélia disant que t'étais souffrant. J'ai pensé que t'aurais besoin d'aide, comme t'es en plein temps de récoltes. J'me sus dit : « Va donc y donner un coup de main. »

— Tu vas me charger combien ?

— Pas une cenne! Mais comme ta maison est pleine pis que je voudrais pas vous tasser, j'aimerais que tu me vendes un lopin de terre pour que je puisse me bâtir une cabane, quelque chose de pas grand, mais propre, parce que je retournerai pas travailler au diable vert. Je me rappelle que t'as un coin de terre qu'est pas de service pour la culture, entre Champoux pis le fossé. Comme y te sert à rien, moé, y ferait mon affaire.

Gilbert parlait d'un coin de terrain impropre à la culture qui donnait sur la montée Mathieu.

— Vu que tu viens m'aider, je te le donne.

Gilbert fut surpris par tant de générosité. Il s'attendait à voir son frère se lamenter sur le prix d'un terrain, lui à qui tout était dû.

— Non, je veux le payer pour me sentir chez moé. Pis je tiens à le faire arpenter, pis aussi, je veux un contrat notarié, comme ça j'aurai la paix pis toé itou.

— Ça va! Tu me donneras ce que tu veux, pis je m'obstinerai pas.

— Comme y a trop d'ouvrage pour bâtir tout de suite, j'aurais besoin d'être nourri et logé pour le temps des moissons.

— Dis à ma femme de te préparer une chambre. Pour le reste, tu connais le roulement.

Héléna lui désigna la chambre à visite que l'abbé Jacques utilisait lors de ses congés.

Le soir, Gilbert, rompu de fatigue, se jeta sur le lit et s'endormit d'un sommeil lourd.

* * *

Le lendemain, Gilbert se réveillait à la campagne.

Au déjeuner, il adressa un mot aimable à chaque enfant. Il leur cherchait des ressemblances, ce qui les faisait rire. De sa place, il pouvait voir les voisins s'amener avec de vieux chapeaux de paille sur la tête, les souliers délacés. Le soleil entrait dans les chemises ouvertes. Gilbert se leva, adressa un sourire à chacun et, en passant derrière Louis et Juliette, il leur fit un chatouillis dans le cou.

Déjà, les enfants l'aimaient.

* * *

Deux faucheuses et deux lieuses étaient alignées dans la basse-cour. Therrien, Champoux, Grenon, Guénette et Gauthier se tenaient tout près et devisaient gaiement. Comme ça faisait un bon dix-huit ans que Gilbert avait quitté le pays, les voisins en avaient long à raconter, mais le travail commandait. Ils retroussèrent leurs manches de chemise jusqu'aux coudes pour être plus à l'aise pour travailler.

Héléna les regardait de sa fenêtre ouverte. Grenon l'aperçut et lui cria :

— Madame Héléna, on peut-y avoir une cruche d'eau à apporter ?

— À la grange d'en haut, y a un puits, mais pour pomper l'eau, y faut de bons bras. Vous trouverez un gobelet accroché au tuyau.

— Tantôt, Reina va venir vous donner un coup de main pour le dîner.

Grenon la salua d'un coup de chapeau et accorda son pas à celui de Gilbert, qui tirait un cheval par la bride.

Héléna regarda les faucheuses et les lieuses s'engager dans la montée Mathieu. Avec autant de bras, l'ouvrage ne traînerait pas. Une fois rendus dans le trois arpents qui longeait le chemin, Gauthier, Grenon, Guénette et Champoux se distançaient les uns des autres pour une récolte en planches. Marianne, Marie-Noëlle, Marc et Émile les suivaient et ramassaient les bottes d'avoine avec lesquelles ils formaient des quintaux de six bottes chacun. De temps à autre, Gilbert et Grenon laissaient reposer leur bête et remplaçaient les enfants éreintés à force de se pencher et de se redresser sans arrêt.

* * *

À la maison, Héléna se faisait une joie de recevoir Gilbert et les voisins à dîner. Cette année, le temps des moissons lui apportait un surplus de travail, mais il avait l'avantage de briser la monotonie de sa besogne quotidienne.

Reina, la femme de Grenon, était un véritable boute-en-train. Elle passait pour la femme la plus spirituelle de la place. Elle se pointa chez les Branchaud avec une bouteille de whisky cachée dans son grand tablier blanc. Cette femme connaissait tout le patelin et elle était au courant de ce qui se passait dans chacune des maisons. Dans la paroisse, on la surnommait la commère. En mettant les pieds dans la maison, elle commença ses cancans.

— Connaissez-vous Marielle, la fille d'Odilon Bérard?

— Non, dit Héléna, je connais Odilon, mais pas ses enfants.

— On dit que, la semaine passée, sa plus jeune est rentrée chez les sœurs. Ses parents l'ont envoyée pensionnaire pour pas qu'elle en sache trop sur la vie et l'amour. Je pense qu'elle part poussée par ses parents. C'est un orgueil dans les familles. C'est à qui aurait le plus de prêtres pis de religieuses.

— Quelle communauté? s'informa Héléna.

— Chez les sœurs de Sainte-Anne. Les gens disent que le p'tit Villeneuve l'a fréquentée jusqu'à la fin. Y espérait qu'elle change d'idée au dernier moment. On raconte qu'y a ben de la peine. Y l'haïssait pas, le jeune!

Héléna se sentit toute revirée. Cette histoire ressemblait un peu à la sienne. Elle pensa à ses fréquentations avec Henri Beaudoin. Comme elle dans le temps, la vocation de cette Marielle devait l'emporter haut la main sur le mariage. Elle ajouta:

— On laisse toujours des cœurs derrière. Cette fille devait pas l'aimer assez fort.

— Si on faisait manger les enfants tout de suite? suggéra Reina. Après ça, on serait plus tranquilles pour servir les hommes. À se faire bardasser sur les machines agricoles depuis le matin, nos pauvres diables doivent avoir l'estomac dans le boutte des orteils.

Reina ajouta à voix basse:

— On va faire manger les enfants pis on va prendre une petite *shot* de whisky en attendant nos hommes.

– J'en ai jamais pris, sauf une fois, le jour de mon mariage. C'était du vin, pis je me sus dit que je toucherais pus jamais à ça.

– Juste un peu, pour m'accompagner, insista Reina.

Mais celle-ci n'attendit pas. Tout en parlant, elle versa la boisson jusqu'à remplir un verre à ras bord. Héléna prit une gorgée et une autre, puis elle se mit à tousser... et à rire.

– C'est fort, cette affaire-là!

– Allez-y plus mollo. C'est pas de l'eau.

Reina versa de nouveau. Héléna murmura:

– Si Gustave savait, y me tuerait. Une chance que sa porte de chambre est fermée.

Les femmes se remirent à rire sans raison jusqu'à s'en tenir les côtes.

– Hon! J'ai oublié de porter le dîner à Gustave. Hon! Je pourrai jamais y aller sans rire.

Reina fit signe à Juliette d'approcher.

– Tiens, ma grande, peux-tu aller porter une assiette à ton père sans la renverser?

Juliette était tout étonnée de voir sa mère rigoler, ça lui arrivait si rarement.

– Qu'est-ce que vous avez à rire de même, m'man?

– Je te raconterai, plus tard...

Et, après un moment, elle ajouta:

– ... quand tu seras mariée!

Et les deux femmes se tordirent de rire à nouveau.

Reina déposa l'assiette dans les mains de Juliette.

– Pis si p'pa dort? demanda la fillette.

— Tu la laisseras sur le bureau, lui dit Reina. Oublie
pas de refermer la porte sans bruit en sortant.

* * *

L'ombre du chêne marquait midi. Dans la chaleur
insupportable du haut du jour, la cigale stridulait. Les
hommes, torse nu, descendirent des champs complètement vidés. La sueur leur dégouttait au bout du nez.

Dans la cuisine flottait une odeur de clou de girofle et
de cannelle. Les hommes passèrent à l'évier se savonner
les mains, le visage et le cou avec un pain de savon du
pays. Ils s'essuyèrent tous avec le même rouleau à mains,
puis ils allèrent s'asseoir à la table en silence.

Héléna s'affairait du poêle à la table. La pièce tanguait
et elle se surveillait pour ne pas faire un pas de travers
devant les hommes. Elle déposa le plat de ragoût au centre
de la table et, aussitôt, les filles se servirent.

Grenon, les mains grandes ouvertes sur la table, parla
au nom de tous:

— On s'est fait chauffer la couenne au soleil tout
l'avant-midi. Là, on va respirer un peu avant de manger.

Avec une pareille chaleur, la soif les commandait.

Héléna remplit une cruche d'eau fraîche et la déposa
au centre de la table.

— Ça avance, votre fauchage? s'informa-t-elle, intéressée.

— Ouais!

Reina promena sa bouteille de whisky au-dessus des
verres.

— Une petite *shot* avant de manger? Ça va vous requinquer.

Reina versa à chacun une once de whisky, puis deux, et trois. Comme de fait, la boisson délia les langues.

Le dîner fut animé. À l'heure du dessert, Gilbert s'adressa aux enfants:

— Les jeunes, vous avez assez travaillé, vous pouvez prendre l'après-midi pour vous reposer.

Les jeunes étaient fous de joie. Jamais leur père ne se préoccupait de leur fatigue.

Grenon s'opposa:

— C'est pas le temps de se reposer si on veut finir au plus sacrant.

— Des enfants, c'est pas des chevaux, rétorqua Gilbert.

À la fin du repas, on vit venir des gens à pied sur le sable chaud du chemin. Les femmes de Gauthier et de Champoux s'amenaient en tirant une petite charrette où se trouvaient deux enfants. Derrière elles suivait une ribambelle de gamins pieds nus. Héléna ajouta des tasses et une pile d'assiettes à dessert.

Pendant que les femmes lavaient la vaisselle, les hommes, le chapeau de paille rabattu sur le nez, s'étendirent de tout leur long sur le bois dur du perron et firent un court somme. À une heure, ils reprendraient le collier.

* * *

À la fin de la journée, alors que tout le monde semblait épuisé, Héléna revivait. Tout son visage rayonnait.

Marc et Émile profitèrent de l'incapacité de leur père pour sortir le soir. Marc siffla et, aussitôt, quatre gamins apparurent.

— Les gars, dit-il, on va se trouver de la racine d'orme à fumer. Comme ça sent rien, personne va s'en apercevoir. Que quelqu'un aille chercher des allumettes. Toé, Fernand, tu vas sûrement pouvoir trouver du feu dans le garage de ton père.

Dans le courant de l'été, les cultivateurs nettoyaient leurs fossés. Les arbres abattus servaient de bois de chauffage et les souches restaient à sécher tout le reste de la saison pour être brûlées le printemps suivant.

Marc prit la tête du groupe. Ils longèrent les fossés jusqu'à trouver un orme. Les garçons brisèrent des racines accrochées à une souche et les allumèrent.

— Eille! Ça marche, dit Émile, qui en était à ses débuts.

Il aspira tant qu'il le pouvait sur le tuyau de sa racine et se mit à tousser et tousser.

— Ça pique la langue, cette cochonnerie-là! dit-il.

— T'es jeune, toé, dit Fernand, un grand fanfaron. Nous autres, on est habitués.

Les gamins ne trouvaient rien de bon à ce petit jeu, sauf une complicité d'amis, un besoin de s'amuser en gang. Ils riaient, heureux de leur escapade.

Une petite folie n'attendait pas l'autre.

— Venez-vous-en chez nous, dit Villeneuve. On va se lancer des pommes.

Sitôt dit, la bande de gamins se retrouva chez Villeneuve, où ils grimpèrent dans un pommier noueux et cueillirent des pommes encore vertes.

La fusillade à peine commencée, une poule reçut une pomme sur la tête et tomba raide morte. Le jeu s'arrêta net. Les jeunes se réunirent autour de l'oiseau.

— Y faut la saigner pour qu'elle soit mangeable.

Marc sortit son couteau de poche et lui coupa le cou.

— Tiens, dit Marc. Va la porter à ta mère.

Villeneuve était à peine rentré chez lui qu'il ressortit en vitesse, son père à ses trousses. Celui-ci asséna des coups de pied au derrière de Marc et de Fernand. Les autres gamins prirent leurs jambes à leur cou et réussirent à se sauver.

La noirceur venue, Marc et Émile rentrèrent à la maison avec le fou rire, heureux d'avoir réussi à défier l'autorité.

— Qu'est-ce qui se passe de si drôle? demanda Héléna.

— Rien! répondit Émile.

— Où étiez-vous passés?

— Chez Villeneuve, dit Marc. On jasait entre gars. Asteure, je monte me coucher.

— Pas tout de suite. Avant, on va dire le chapelet.

Ils n'avaient pas récité trois Ave que des coups violents, frappés à la porte, leur firent lever la tête.

Héléna souleva le rideau et ouvrit. Monsieur Villeneuve, rouge de colère, refusa d'entrer. Il parla à travers la moustiquaire.

— Vos garçons viennent de tuer une de nos poules, dit-il, notre meilleure pondeuse. Vous feriez mieux de les dresser si vous voulez pas qu'y tournent mal.

Héléna fit signe à Émile de fermer la porte qui séparait la cuisine d'été de celle d'hiver pour que, de son lit, Gustave n'entende pas.

Elle se tourna vers les garçons.

— Qu'est-ce qui vous a pris de tuer une pauvre petite bête? demanda-t-elle. C'est pas une manière de s'amuser.

— C'est pas nous autres! jura Marc. C'est Fernand Champoux. On jouait à se lancer des pommes entre nous pis, sans le vouloir, la poule en a reçu une sur la tête. C'est un accident.

Et le garçon ajouta :

— Après tout, une poule, c'est pas si grave!

— Pas grave, hein? dit Villeneuve. Pis si un de vous avait reçu la pomme sur une tempe, pis qu'y serait tombé raide mort, je suppose que ça non plus, ce serait pas grave?

Héléna mit fin à la discussion en disant :

— Prenez une de nos poules en échange, monsieur Villeneuve. Marc, dit-elle, va en chercher une au poulailler.

Villeneuve se retira en murmurant pour lui-même :

— Elle va en faire des voyous.

IX

Le mois de septembre débutait en beauté avec ses journées tièdes et ensoleillées.

Chez les Branchaud, le travail ne lâchait pas. Sur une ferme céréalière, tout se joue à l'automne, le temps de la plus douce de toutes les récompenses.

Gustave prenait un peu de mieux. Il se déplaçait, plié en deux, les mains accrochées à un dossier de chaise, ce qui lui permettait de prendre ses repas à la table. Mais à chaque pas, son corps se contorsionnait et il grimaçait. Cependant, il ne se plaignait jamais.

Marianne et Marie-Noëlle devaient commencer leurs classes le lendemain. Héléna leur avait confectionné un couvre-tout et un sac en toile, où elle avait déposé deux cahiers, des crayons et une efface.

– Gustave, pensez-vous être assez bien pour conduire les filles à l'école demain ?

– Qu'elles y aillent à pied ! dit-il.

Marianne et Marie-Noëlle, déçues, se regardèrent sans parler.

– C'est impensable ! dit Héléna, confuse. Marcher six milles, soir et matin, ça se fait pas.

Gustave resta muet. S'il n'ajoutait rien, c'est qu'il comptait sur le dévouement de ses voisins pour transporter ses filles.

– D'abord que vous refusez de les voyager, on pourrait les envoyer pensionnaires ou encore, y a votre mère qui m'a offert de les prendre pour la semaine. Marianne pis Marie-Noëlle seraient d'accord.

– Y en est pas question !

– Si c'est comme ça, ajouta Héléna sèchement, je vais les garder à la maison, pis elles resteront ignorantes.

Héléna lança sa réflexion comme une menace pour faire réagir Gustave. Peut-être arriverait-elle à le toucher ? Après tout, il était orgueilleux à ses heures.

« Si Gustave continue de s'entêter dans son idée, pensa Héléna, je leur ferai la classe à la maison, ce qui serait tout un contrat pour moé, quand des enseignantes sont déjà rémunérées pour cette tâche. »

– Je veux aller à l'école du village, insista Marianne. Josette Lafleur, Marie Therrien pis les Grenon vont y aller, elles.

Jusque-là, Gilbert avait suivi leur discussion sans s'en mêler.

– Je peux les conduire, moé, si Gustave est d'accord.

– Fais comme tu veux, mais si tu commences à les voyager, compte pas sur moé pour prendre la relève.

Héléna expliqua :

– Le voyagement sera partagé entre les voisins. Pour nous, ce sera deux matins par semaine, les lundis et mardis. Les Therrien, les Lafleur pis les Grenon voyageront les jeunes le reste de la semaine.

Gilbert jeta un regard complice à Marianne.

– Vous irez à l'école, comme les autres. Je vous y conduirai.

Héléna respira d'aise.

– Vous êtes trop bon, Gilbert.

— Je vous dois ben ça pour m'endurer, me nourrir pis laver mon linge.

— Je fais juste l'ajouter à mes brassées. C'est pas quelques vêtements de plus ou de moins…

— Je vous aime ben gros, mon oncle, s'écria Marianne, toute à sa joie.

Marianne n'avait jamais dit à son père qu'elle l'aimait. Le regard d'Héléna alla de sa fille à son mari. Gustave restait froid, imperturbable.

* * *

Les mois passaient. Tous les enfants du rang aimaient Gilbert. Ils préféraient les lundis et les mardis, qu'ils appelaient « les jours de monsieur Gilbert ». Et avec raison ! Il leur distribuait des bonbons, ça commençait bien la journée pour lui et les jeunes.

* * *

Gustave mit dix semaines à se remettre. Quand il fut sur pied, le train avait déjà emporté toute la récolte de céréales vers Montréal.

Au fond du ciel, les outardes passaient, formant un V parfait. C'était le temps de bûcher le bois pour l'hiver. Comme Gilbert parlait d'acheter les matériaux pour sa maison, Gustave lui proposa un arrangement.

— Si tu veux m'aider à bûcher mon bois de chauffage, après on coupera le bois de charpente de ta maison.

Ce sera l'affaire de quelques semaines. Ensuite, t'auras tout l'hiver pour construire.

«Un mois! pensa Héléna, et Gilbert partira. Elle ne l'entendrait plus aller et venir, rentrer et sortir, siffler et rire comme il l'avait habituée. En plus de mettre de la joie dans la maison, Gilbert choyait les enfants et les rendait heureux.

Encore un mois et l'ennui s'installerait de nouveau dans le petit univers d'Héléna. Chaque fois que Gilbert entrait dans la maison, elle palpitait au bruit de ses pas, elle épiait ses gestes. Lui n'avait pas l'air de se douter de ses états d'âme. Mais un bête accident vint changer les projets de Gilbert.

On était en octobre, les machines agricoles étaient rangées pour l'hiver et la nature était parée des couleurs vives de l'été indien.

Après le dîner, Héléna vit revenir le bobsleigh au loin. «Il se passe quelque chose d'anormal, se dit-elle. La journée ne fait que commencer et déjà les hommes descendent du bois.» Plus près, elle pouvait voir Gustave tenir les cordeaux et Gilbert couché sur un tas de branchages. Elle supposa que Gilbert était malade.

Gustave colla l'attelage à la maison. Il jeta les guides sur la bête et aida Gilbert à se lever. Que se passait-il? Gilbert se portait sur une seule jambe et du sang maculait son pantalon. Elle ouvrit toute grande la porte de la cuisine devant les deux hommes qui traînaient sur eux l'odeur humide du bois scié.

— Qu'est-ce qui vous arrive? Vous vous êtes blessé avec le godendard?

Gustave conduisit Gilbert à la chambre du bas et, derrière eux, une traînée de sang colora de rouge le prélart usé. Sans répondre, Gustave sortit chercher le médecin.

C'était la consternation dans la cuisine, les enfants se regardaient sans parler. Juliette, à la vue du sang, laissa échapper des petits sanglots.

Gilbert, pâle comme un drap, tremblait de tous ses membres et ses dents claquaient comme des castagnettes. Héléna recouvrit son corps d'une couverture de laine.

Gilbert raconta à Héléna qu'il avait reçu un coup de hache à la jambe.

– Vous me permettez de regarder la plaie? demanda-t-elle.

Gilbert détourna la vue. Il préférait ne pas voir sa blessure.

Héléna releva la jambe de son pantalon et vit une affreuse entaille de quatre pouces d'où le sang s'échappait à flots. La blessure était plus grave qu'elle ne l'aurait cru. Elle retira doucement sa botte et fit un garrot pour freiner l'hémorragie.

– Il faudrait aller chercher l'Assassin, il arrête le sang.

Héléna eut recours à Marianne.

– Va demander à monsieur Therrien s'il peut aller chercher le quêteux pour arrêter le sang, ordonna-t-elle.

Héléna se tourna vers Gilbert.

– Ressentez-vous de la douleur?

– Sur le coup, j'ai rien senti. J'ai tombé en pleine face, je savais même pas que j'étais blessé, pis le sang s'est mis à couler sur ma jambe. Comme ça m'incommodait, j'ai passé ma main, pis là, je l'ai vue pleine de sang. Une fois dans le bobsleigh, j'ai commencé à avoir mal, mais mal! Si vous saviez! Avec une douleur pareille, un gars apprend à sacrer.

Après quelques minutes, la plaie arrêta de saigner.

Héléna pris Gilbert en pitié.

— Pauvre vous! Le médecin tardera pas. Y saura vous soulager.

Le docteur Coupal entra, suivi de Gustave. Héléna dénoua le bandage ensanglanté et le retira par petites secousses. Elle quitta ensuite la chambre et attendit dans la cuisine.

Therrien entra en coup de vent dans la cuisine.

— L'Assassin fait dire qu'y a pas besoin de venir, qu'y peut le faire à distance.

Héléna le remercia.

— Assoyez-vous. Tantôt, on va voir ce que dit le docteur. Je vous verse un café.

Lafleur frappa. Il venait aux nouvelles. Suivaient Grenon et Villeneuve qui, eux aussi, venaient sympathiser.

Quel soulagement pour Héléna de savoir Gilbert aux soins du médecin! Ce dernier se tenait debout près du lit.

— Monsieur Branchaud, votre dame a fait un beau travail, mais comme l'entaille est importante, elle demandera des points de suture. Vous allez devoir conduire votre frère à l'hôpital immédiatement. Ce serait préférable qu'il soit à jeun.

Gustave sortit dételer Tonnerre du bobsleigh pour le laisser se reposer et il attela Fanette à la carriole.

Pendant l'attente, Héléna s'empressa de changer le bas maculé de sang de Gilbert. Son pied blessé était enflé. Héléna le recouvrit d'un gros bas de laine, puis elle échangea sa botte restante pour un élégant bottillon fourré. Elle resta là à le regarder, à ressentir une haute flambée de tendresse que Gilbert prenait pour de la pitié. Il n'avait pas l'air de se douter des états d'âme de sa belle-sœur. Il se préoccupait davantage du voyagement des filles à l'école que de sa jambe blessée.

– Arrangé de même, dit-il, je pourrai pas voyager les enfants à l'école.

Gilbert demanda à Héléna de prendre une entente avec Therrien. Si ce dernier acceptait de le remplacer, il lui remettrait la pareille dès qu'il serait sur pied.

Therrien se plia de bon gré aux instances de Gilbert.

* * *

À la suite du rétablissement de Gustave et de l'accident de Gilbert, Héléna se demandait ce que lui réservait l'avenir. Elle trouvait toutefois un avantage à ces maux : la convalescence de Gilbert retarderait son départ de la maison de quelques semaines. Héléna se trouvait égoïste de penser ainsi, mais c'était plus fort qu'elle. Pendant des mois, elle avait vécu presque heureuse dans sa maison avec tout ce va-et-vient et elle redoutait le jour où elle se retrouverait de nouveau coupée du monde. Elle avait ses enfants, bien sûr, mais elle avait aussi besoin de parler avec des adultes, et ce n'était pas avec son muet de mari qu'elle pouvait dialoguer.

* * *

Gilbert revint à la maison après une semaine d'hospitalisation. À sa demande, Héléna lui avait procuré des béquilles et un lit pliant, qu'elle installa dans le salon pour le temps de sa convalescence, afin d'éviter les escaliers.

Gustave, que le travail au bois épuisait, se couchait très tôt. Comme il avait la mèche courte, qu'il ne tolérait pas le bruit, les enfants avaient appris, depuis leur petite enfance, à éviter tout ce qui pouvait mettre leur père en colère.

Avant l'accident, Juliette avait pris l'habitude de s'endormir dans les bras de Gilbert. À son retour, la petite alla se planter devant son oncle et lui présenta son dos, prête à se faire bercer. Gilbert lui raconta son accident et à la fin il lui dit :

— C'est pour ça que mon oncle peut pas te bercer.

— Je veux que tu me le racontes une autre fois, dit la petite.

— Non, Juliette. C'est à ton tour de me le raconter, dit l'oncle. Comme ça, je vais voir si t'as ben écouté.

Juliette ne bougeait pas. Héléna la prit par la main, la conduisit à la chaise berçante et lui fredonna une berceuse pour l'endormir.

Restés seuls dans la cuisine, Gilbert et Héléna causèrent longuement de choses sans importance.

Gilbert était un garçon charmant. Il avait un brin d'humour, il était propre et, comme il avait amassé beaucoup d'argent, il portait des vêtements élégants qui rehaussaient sa prestance. Toutes ces qualités ne passaient pas inaperçues aux yeux d'Héléna.

— Vous avez laissé des amies là-bas ?

– Les filles me voulaient toutes, plaisanta Gilbert, mais j'avais pas de temps à leur consacrer. Pis j'ai rencontré Laura. À vrai dire, c'est elle qui est entrée dans ma vie. Quelle fille merveilleuse que cette Laura! Le samedi soir, je me rendais dans un petit bar et, à mon arrivée, elle était toujours là. Je suis pas mal sûr qu'elle m'attendait. Nous jasions jusqu'à tard dans la nuit, chacun de notre côté du bar. Elle était ma meilleure amie, pis je l'aurais épousée si elle avait voulu me suivre dans mon coin natal. Mais elle se décidait pas à quitter sa famille. J'ai pensé qu'elle avait pas de sentiments pour moé. Je suis donc revenu libre de toute attache. Aujourd'hui, je me demande si je me suis trompé à son sujet, si elle n'était pas là spécialement pour faire boire et amuser les clients.

– Vous correspondez avec elle?

– Non! J'ai cru que c'était préférable de couper les ponts. Elle a sa vie à faire là-bas, pis moé j'ai la mienne icitte.

– C'est sans doute mieux pour vous deux.

– Vous savez, j'ai jamais jasé avec ma mère comme je le fais avec vous.

– Pis moé, j'ai jamais jasé avec Gustave comme je le fais avec vous. Et pourtant, Dieu sait si j'ai essayé, mais toujours sans résultat. Avec le temps, je me suis résignée.

– Gustave a jamais été ben jasant.

– C'est ce qu'on m'a dit. Pourtant, avec son frère Antoine, y trouve toujours de quoi dire.

– Ceux-là ont toujours été ben proches l'un de l'autre. Moé, je faisais pas partie de leur clan. Par contre, aujourd'hui, j'ai pas à me plaindre, Gustave m'a reçu dans sa maison à bras ouverts. Pis vous, Héléna, je vous dirai jamais assez ma reconnaissance pour tout ce que vous faites pour moé.

— Je l'ai fait pour moé, Gilbert, pour moé avant tout. Vous allez me trouver égoïste, et avec raison, mais avant votre arrivée, y se passait rien dans cette maison. Y avait les enfants, ben sûr, mais ça s'arrêtait là. On jase pas avec les enfants comme on le fait avec des adultes. Si j'osais, je vous dirais quelque chose d'épouvantable, de choquant pour vous.

— Allez, dites!

— Je devrais pas.

— Asteure que vous avez commencé, allez-y.

— C'est mal ce que je vais vous dire. Vous avez le droit de vous boucher les oreilles, vous savez. C'est que je me suis réjouie de votre accident pour vous garder icitte le plus longtemps possible.

Sitôt dit, Héléna cacha sa figure dans ses mains.

— Je regrette, dit-elle. Je n'aurais pas dû vous dire ça, c'est parti tout seul.

Gilbert la regarda sans savoir quoi dire. Héléna éprouva une certaine honte d'avoir mis à nu ses états d'âme. Elle baissa les yeux sur ses mains où brillait un anneau d'or.

— Oubliez ce que je vous ai dit.

* * *

Trois semaines passèrent sans aucune amélioration. Gilbert constatait même que la rougeur avait tendance à tourner au noir et à descendre vers le pied. Il se fit conduire chez le médecin.

En voyant l'état de sa jambe, le médecin grimaça. Il leva les yeux sur Gilbert et, après un bon moment à le fixer, il déclara :

— Ça me dit rien de bon. Vous avez bien suivi mon conseil ?

— Oui, comme vous m'avez recommandé. J'ai désinfecté deux fois par jour.

— Et vous êtes resté la jambe étendue ?

— Oui.

— La gangrène est là-dedans. Les bactéries ont envahi les tissus et tout ce qui pourrit s'étend. Vous allez devoir vous rendre à l'hôpital rencontrer un spécialiste.

— Vous pouvez pas me soigner vous-même ?

— Votre cas demande davantage de soins et c'est urgent.

Le visage de Gilbert s'allongea.

— Qu'est-ce que ça veut dire ?

— Je ne veux rien avancer, mais je crains qu'on doive amputer votre jambe et cette opération n'est pas de mon ressort.

Gilbert, muet de stupeur, pâlit.

— Vous savez, reprit le docteur Coupal, je crois que si vous voulez continuer de vivre, vous n'aurez pas le choix. Aujourd'hui, on pose des jambes de bois aux amputés.

— Je veux pas vivre infirme, plutôt mourir.

Gustave se leva prestement, lança le paletot sur les genoux de son frère, et trancha net :

– Viens-t'en. Ça presse. On va passer par la maison prendre ce dont tu pourrais avoir besoin, pis après, je te conduirai à l'hôpital.

Gilbert ne bougea pas, comme si la nouvelle l'avait tué. Gustave dut le saisir par un bras et le soulever de sa chaise.

* * *

Héléna, atterrée, prépara la valise de Gilbert.

Tout le temps du trajet vers l'hôpital Notre-Dame, celui-ci ne desserra pas les dents ; il ressassait sa vie.

Tout était trop beau, il avait la santé, de l'argent, il allait avoir sa maisonnette, il avait ses neveux et nièces qu'il adorait, puis il y avait Héléna. Elle n'était pas à lui, mais il se contentait de la savoir là qui veillait sur lui comme une mère, et, maintenant qu'il avait tout, on allait scier sa jambe et le rendre infirme.

* * *

Après six mois d'hospitalisation et un suivi scrupuleux, la plaie de Gilbert revint à sa couleur normale. On ne parlait plus de l'opérer. Le moral de Gilbert remontait.

– Je veux voir les enfants, dit-il un jour à Cordélia.

Le samedi suivant, Héléna se pressa de laver les cheveux des enfants et de les habiller convenablement assez tôt pour qu'ils prennent le train de cinq heures trente du matin. Malheureusement, ceux-ci refusaient d'accompagner leur père, ce qui devait arranger Gustave, qui n'insista pas. Il avait tellement à s'occuper. Ses visites à l'hôpital coïncidaient chaque fois avec sa collecte de loyers.

X

Gilbert mit six autres mois à se remettre complètement.

Pendant sa convalescence, il avait dessiné le plan de sa maison. Elle mesurerait seize pieds par vingt-quatre. Il n'avait pas besoin de plus d'espace pour seulement une cuisine, une chambre et une penderie assez grande pour contenir tous ses vêtements.

Il commença par équarrir son bois à la hache, puis il monta la charpente en pièce sur pièce. Gustave l'aidait dans ses moments libres.

De chez elle, Héléna pouvait voir la maisonnette prendre forme. Plus la construction avançait, plus son moral baissait. Le séjour de Gilbert avait agi comme un baume sur son cœur, et, maintenant, avec son départ prochain, elle sentait un vide causé par le désœuvrement. «C'est lui que j'aurais dû marier», pensait-elle. Puis, elle se sentait coupable, elle, une femme mariée, d'avoir une si mauvaise pensée.

Une fois terminée, la maisonnette était plutôt jolie avec son toit pentu et sa fenêtre à carreaux. Il n'y avait pas de perron, seulement trois marches qui menaient directement à la porte.

Gilbert se rendit au village acheter un poêle, une glacière, un lit, une commode, une table et quatre chaises.

Héléna lui confectionna des rideaux en toile de coton en vichy vert et blanc.

* * *

Souvent, Héléna faisait porter à Gilbert de la nourriture toute prête par les fillettes. Les enfants couraient librement d'une maison à l'autre. Gilbert les adorait. Sa porte leur était toujours ouverte. Chez lui, c'était le bonheur, l'affection, la confiance.

Un jour, alors que Gustave revenait de l'étable, il aperçut Juliette qui se dirigeait chez Gilbert. Il la rejoignit, tourna ses frêles épaules vers la maison et lui donna un solide coup de pied au derrière. La petite, qui n'avait que cinq ans, leva de terre et retomba à quatre pattes au sol. La gamine n'était pas sitôt relevée que son père rappliqua encore et encore et, tel un crapaud, l'enfant sautait de bond en bond, et à chaque secousse, elle échappa un sanglot qui s'étranglait dans sa gorge.

Un cri de Gilbert attira Héléna à l'extérieur. Elle sortit en vitesse et, sitôt sur le perron, elle vit Gustave malmener Juliette, et Gilbert qui se portait à son secours. Elle s'arrêta net, pensant laisser à Gilbert l'occasion de calmer son frère. Quelle fut sa surprise de voir son beau-frère asséner de toutes ses forces un coup de poing au visage de Gustave et, le temps que celui-ci se ressaisisse, Gilbert lui en appliqua un deuxième !

— Prends ça, dit-il, pour ce que tu fais endurer à ta fille !

Gustave avait rencontré son homme.

Héléna se réjouissait de voir son mari perdant. Il méritait les coups pour s'en être pris à sa fille. Quand on pense qu'un père est supposé protéger son enfant, voilà que c'était son oncle qui prenait sa défense.

Du revers de sa manche de chemise, Gustave essuyait le sang qui coulait de son nez et de sa bouche. Il encaissa les coups sans se plaindre, sans se venger.

Héléna leva les yeux et vit Grenon, Therrien et Lafleur regroupés devant le Caboulot, qui bavardaient en regardant du côté de la scène. « Si Gustave les voit, son orgueil va en prendre un coup », se dit-elle.

Gilbert retourna chez lui et Gustave rentra à la maison laver ses plaies. La petite pleurait à fendre l'âme. Son père lui dit durement :

– Ferme-la !

L'enfant, terrorisée, se tut net. Elle trottina péniblement vers sa mère, qui venait vers elle, et se pendit à son cou. Petite âme innocente, simple et touchante. Ses pleurs gonflaient ses paupières et ses lèvres. Héléna releva le coin de son tablier et assécha ses yeux.

– P'pa, y a fait mal à mes fesses, dit Juliette.

Héléna ressentait le même mal, mais elle ne pouvait s'interposer entre son mari et sa fille.

– Ma pauvre petite ! dit-elle.

Héléna assit délicatement l'enfant sur la table, nettoya ses genoux terreux et ses mains râpeuses avec une eau savonneuse, puis elle les enduit de teinture d'iode. Elle entraîna ensuite Juliette à la berçante.

– Viens, mon trésor, maman va te bercer.

Elle embrassa Juliette, attira sa tête contre son épaule et colla sa figure à sa joue pleine de larmes.

Héléna gardait tous ces faits en son for intérieur. Elle se demandait bien pourquoi Gustave ne s'en prenait pas à Gilbert pour être venu à la rescousse de la petite. Il devait avoir trop besoin de ses services

Héléna veillait sur ses enfants. Elle les cajolait, les berçait. Elle devait compenser la rudesse de leur père. Elle leur apprenait à être heureux, à prier, à chanter.

Ce soir-là, les enfants couchés, comme Héléna lavait son mari, elle en profita pour lui faire un reproche.

— Vous êtes trop dur avec Juliette.

— Elle va apprendre à obéir.

— Même si pour ça, vous devez la tuer? Les enfants apprennent davantage par la parole que par les coups. Juliette voit ses sœurs aller et venir de chez Gilbert à la maison. Elle veut faire comme elles.

Héléna se tut. Elle parlait seule.

* * *

Un beau jour du milieu d'août, deux religieuses venues de Montréal frappèrent chez les Branchaud. Sœur Marie-Françoise et sœur Paul-Denis passaient de maison en maison pour recruter des élèves qui, moyennant une pension minime, pourraient éventuellement compter parmi les futures religieuses.

— On nous a dit que vous aviez des adolescentes qui ont l'âge du pensionnat.

Marianne, juchée sur une chaise, plaçait dans l'armoire la vaisselle propre du déjeuner tandis que Marie-Noëlle essuyait une dernière fourchette.

Héléna invita les petites nonnes à s'asseoir.

— J'ai deux tantes sœurs, leur apprit-elle.

Comme toutes les mères, Héléna désirait compter une religieuse dans sa famille.

— Les filles, dit-elle, approchez un peu.

L'offre était alléchante. On accepterait les filles au pensionnat moyennant une somme minime. Sœur Paul-Denis faisait miroiter l'enseignement aux filles.

— Votre voisine, Josette Lafleur, fera partie des nouvelles pensionnaires.

— Je veux y aller, moé aussi, m'man.

— Attendez-moé icitte, mes sœurs. Je vais en souffler un mot à leur père qui est à l'étable.

Héléna fit part de la proposition à Gustave, qui refusa net. Revenue à la maison, elle avoua, vaincue :

— Leur père malade compte sur elles pour l'aider aux récoltes.

— Et après les récoltes ? Vos filles perdraient un mois de classe qu'elles pourraient rattraper avec quelques cours privés. Notre chère sœur Marie-Thérèse se ferait un plaisir de s'occuper d'elles.

— C'est inutile. Quand mon mari dit non, ça ne sert à rien d'insister.

* * *

Gilbert voyait bien que l'union entre Héléna et son frère n'allait pas, que c'était un mariage de raison. Gustave avait besoin d'une femme pour le servir et Héléna était tombée dans son filet.

Un jour qu'Héléna lui rendait visite, Gilbert souleva une petite trappe au plafond de sa maison. Il dit à sa belle-sœur :

— Regardez où je cache mon argent. Vous pourrez prendre tout ce dont vous avez besoin pour vous et les enfants.

— C'est gentil de votre part, mais j'oserais jamais. C'est à Gustave d'assumer les frais de sa famille.

— Gustave est près de ses sous, et les enfants portent des souliers éculés. Vous exigez pas assez de lui. En fin de compte, ce sont les enfants qui en souffrent.

XI

Marianne et Marie-Noëlle fréquentaient l'école du village, ce qui leur donnait l'occasion de visiter assidûment leur grand-mère et leur tante Cordélia. Elles demeuraient chez leur grand-mère Augustine. À seize ans, Marianne s'était transformée en une adolescente insoumise. Depuis son enfance, elle voyait sa sainte mère s'écraser devant son père, et ce dernier ne manquait pas une occasion de l'humilier. Non, elle ne ramperait pas à ses pieds comme sa mère le faisait. Elle tiendrait tête à son père, comme sa petite sœur Alice l'avait fait de son vivant.

Son oncle Gilbert lui avait donné de l'argent pour s'acheter des bottes d'hiver dernier cri, qu'elle avait vues dans la vitrine du magasin général. De belles bottes à lacets, à tiges montantes. Le vendredi, à son retour, son père lui dit :

— Quel prix t'as payé ?

— Deux dollars.

— C'est du gaspillage. Tu iras les reporter au magasin.

— Tant qu'à m'acheter des bottes, autant les choisir à la dernière mode. Pis ça vous coûte rien. C'est un cadeau de mon oncle Gilbert.

— Tu iras te les faire rembourser.

Marianne attendit que sa mère intervienne, qu'elle prenne son parti.

– Vous l'entendez, m'man ?

Sitôt dit, son père lui répondit par une gifle en pleine figure.

Marianne regardait son père par en dessous, comme un petit animal traqué. Elle ne souffrait pas tant des blessures infligées que du rejet et de la haine que son père lui vouait. Elle cessa net de manger.

Gustave lui ordonna :

– Mange !

Marianne ne touchait pas à son assiettée de fèves au lard ; elle boudait la nourriture.

Comme chaque fois que Gustave frappait les enfants, Héléna était saisie d'un tremblement qui la secouait comme une feuille bringuebalée par le vent d'automne. La mort dans l'âme, elle dit à Marianne :

– Fais ce que dit ton père, Marianne. Tu dois respecter tes parents.

Il fallait bien les éduquer.

Marianne toisa sa mère qui appuyait son père même, quand celui-ci n'avait pas raison. Elle monta à sa chambre bouder en paix, un peu pour les bottes, mais surtout parce que son père ne l'aimait pas. Ce soir-là, Marianne se passa de souper.

Le lendemain, au déjeuner, elle s'installa à l'autre bout de la table, loin des coups possibles, laissant vacante la place voisine de son père.

* * *

Au retour de l'école, Marianne portait encore les fameuses bottes à tiges montantes.

Son père se leva, prêt à la frapper de nouveau, mais Marianne se mit à courir autour de la table pour éviter les coups. Elle cria :

— Le marchand a pas voulu les reprendre parce que je les avais portées une journée.

— Donne-les à ta sœur ! Ça t'apprendra !

— C'est à moé que mon oncle a donné l'argent.

Gustave la saisit par les cheveux et la traîna jusqu'au bas de l'escalier.

Héléna bondit de sa chaise. Elle ne supportait pas que son mari maltraite ainsi ses enfants. Elle supplia :

— De grâce ! Arrêtez, Gustave !

Elle se plaça entre Gustave et Marianne pour empêcher son mari de corriger sa fille.

À partir de ce jour, Marianne ne pensa plus qu'à une chose : déguerpir de cette maison où elle ne serait jamais heureuse.

* * *

Pour Marianne, les amis étaient très importants, particulièrement Théodore, un amoureux qui l'entraînait à l'écart pour lui chuchoter : « Belle Marianne, tu fais battre mon cœur. »

Théodore et Marianne se livraient à des exercices de séduction sans conséquence, comme échanger des regards amoureux, des mots tendres ou se tenir la main.

Le vendredi soir, après les classes, Marianne ne retourna pas à la maison. Théodore l'avait invitée à visionner Le Prince, un film muet qu'on présentait à la salle paroissiale.

Tout le temps de la représentation, Théodore tint la main de Marianne.

* * *

Pendant ce temps, à la maison, Héléna s'inquiétait de sa fille qui n'était pas rentrée. Elle devait encore bouder son père.

— Marie-Noëlle, sais-tu où se trouve Marianne?

— Elle est restée à coucher chez mémère. Elle veut aller aux petites vues à soir.

— Elle aurait dû le demander avant. C'est gratis, ces petites vues?

— Non. Ma tante Cordélia va y payer son entrée. Pour moé, elle a pas voulu. Elle dit qu'elle a pas assez de place pour coucher, qu'elle attend mon oncle Jacques, pis que Marianne va coucher avec elle pour y laisser son lit, mais c'est pas vrai. C'est juste une raison. Marianne est son chouchou, comme Alice était le chouchou de p'pa. Je suis pas aveugle, vous savez!

— Cordélia devrait pas décider pour nous, ses parents. Marianne a pas demandé la permission. Votre père sera pas content.

— On va encore avoir de la chicane dans la maison. C'est Marianne la coupable, pis c'est nous autres qui devrons endurer la colère de papa. Je suis ben tannée de vivre dans une maison de même, moé! Pis vous, vous supportez tout sans jamais dire un mot, comme une vierge martyre, comme si vous étiez d'accord avec p'pa.

— Si je me tais, c'est pour avoir la paix.

— P'pa, y nous aime pas.

— Pourtant, ça y arrive de vous apporter des gâteries à ses retours de Montréal.

— On aimerait mieux qu'y nous parle comme du monde. Les autres pères jasent avec leurs enfants, eux. Nous autres, on fait jamais rien de ben. Demandez à Yvette Grenon. Elle, son père est toujours de bonne humeur, la même chose pour Josette Lafleur. C'est mon oncle Gilbert que vous auriez dû marier.

Marie-Noëlle disait tout haut ce que sa mère pensait tout bas. Toutefois, Héléna devait taire ses sentiments. Elle n'avait pas le droit de penser ainsi.

— Tais-toé! Je veux pas t'entendre dire des sottises de même, Marie-Noëlle! T'es ingrate envers ton père.

— Au fond, vous savez que j'ai raison.

— Tais-toé, j'ai dit! Respecte ton père.

— Je le respecte, mais je vois clair. J'ai assez hâte de partir d'icitte, moé!

Héléna souffrait de voir ses enfants malheureux. Elle s'était mariée avec de bonnes intentions, pour fonder une belle famille et faire le bonheur des siens, pas pour les rendre malheureux. Après Marianne, c'était au tour de Marie-Noëlle de tenir tête, et bientôt, ce serait Marc, Émile et les autres. Quand ils seraient tous partis, que deviendrait-elle, seule avec Gustave, sans raison de vivre? Elle regrettait ce mariage précipité. Aujourd'hui, elle réalisait qu'elle avait fait une folie en épousant Gustave Branchaud. Elle avait mis des enfants au monde par pur égoïsme. Maintenant, sa vie, son quotidien, ses manières d'agir, tout se rattachait à Gustave comme les vertèbres à une épine dorsale. Elle pensa à ses enfants. Si elle était restée célibataire, ils ne seraient pas là. Elle les adorait et elle faisait tout son possible pour les rendre heureux. Souvent, à leur arrivée de l'école, elle racontait de belles histoires aux petits et leur faisait épeler quelques mots.

Elle caressa la main de Marie-Noëlle pour la calmer.

– Je tremble à l'idée de vous voir partir. Je trouverais pas grand plaisir à vivre dans cette maison si je vous avais pas. Je vous aime tant! Vous êtes mon seul réconfort.

– Je sais, mais p'pa, lui, nous aime pas.

* * *

Au souper, Gustave s'aperçut de l'absence de Marianne par sa chaise vacante.

– Elle est passée où encore, celle-là?

Gustave ne nommait jamais les siens par leur prénom. Marie-Noëlle ne laissa pas le temps à sa mère de répondre. Elle prit les devants.

– Elle est restée à coucher au village, chez mémère.

– Elle a un lit icitte.

Il ne dit rien de plus, mais son air fermé trahissait une colère retenue.

* * *

Après le souper, Gustave attela Fanette au traîneau. Héléna décida de l'accompagner au village avec l'intention d'intervenir au cas où Gustave userait de violence envers Marianne.

— Je vous accompagne. Ça me fera du bien de sortir un peu. Marie-Noëlle peut garder. Au besoin, Gilbert est pas loin.

— Oui, maman, allez-y, l'encouragea Marie-Noëlle. Je vais garder la maison.

Héléna arrangea ses cheveux de son mieux.

Gustave marmonna :

— J'ai besoin de personne.

Pourquoi son père était-il si méchant envers sa mère, elle qui était douce, discrète et serviable à son égard ?

Marie-Noëlle prit sa défense.

— Pis si m'man sent le besoin de voir du monde, elle ? Elle sort jamais.

Gustave n'acceptait pas d'être contredit. Il flanqua une taloche en pleine figure à Marie-Noëlle.

Marie-Noëlle, la main sur sa joue endolorie, quitta sa chaise brusquement et monta dans sa chambre en martelant l'escalier d'un pas appesanti par la colère.

Gustave commanda sa bête. Arrivé chez sa mère, on lui dit que Marianne était aux petites vues. Il regardait ailleurs, sans exprimer le fond de sa pensée, enfermé dans un silence absolu. Il attendait, froid et impatient, le retour de Marianne, sans dire un mot. Mais sa vieille mère le sentait rager intérieurement, elle le connaissait bien.

Cordélia surveillait l'heure à l'horloge. À neuf heures trente, elle dressa la table pour le déjeuner du lendemain, puis elle enfila un gilet.

— M'man, je vais aller chercher une pinte de lait chez Gingras, y en a pus pour les céréales du déjeuner.

La vieille Augustine ne répondit pas. Elle savait que Cordélia allait prévenir Marianne de la présence de son père. Elle profita de ce qu'elle était seule avec Gustave pour lui parler.

— Ta Marianne est une fille qui a une tête sur les épaules. Elle a du caractère — elle tient ça des Branchaud — et elle sait s'en servir. J'ai juste un conseil à te donner, mon garçon : ne sois pas trop exigeant avec elle. Sinon, tu vas te la mettre à dos et tes autres enfants avec, pis, en bout de ligne, tu finiras ta vie seul et malheureux.

Gustave fuma la pipe en silence.

Cordélia entra avec sa pinte.

— T'en as mis du temps.

— Comme le magasin était pas trop achalandé, j'ai jasé quelques minutes avec monsieur Gingras pis sa femme.

* * *

À la sortie du film, Théodore dit à Marianne :

— C'est le fun en mosus, ces petites vues-là. Y faudrait se reprendre.

— Je peux rien te promettre. Papa aime pas que je couche au village. Mon père est très sévère, y laisse rien passer.

— Je vais te reconduire chez ta grand-mère, pis je vais y parler, moé, à ton père.

— Non merci! Tu connais pas mon père. Y est aussi dur qu'une barre de fer, y plie jamais. Regarde, son attelage est là. Y m'attend. Va-t'en tout de suite pour pas qu'y me voie avec toé.

Marianne voulait éviter à tout prix que son ami soit témoin des emportements de son père. Si celui-ci la frappait devant Théodore, elle se sentirait alors diminuée aux yeux du garçon. Elle attendit deux minutes, le temps de laisser Théodore disparaître, puis elle entra.

Elle promena autour d'elle un regard apeuré qui ressemblait à un appel au secours.

Gustave, resté près de la porte, l'attrapa par un bras et la secoua fortement.

— Arrive, putain!

Augustine s'écria, scandalisée :

— Gustave Branchaud! C'est pas une manière pour un père de traiter sa fille.

Marianne n'opposa qu'une molle résistance, un peu comme un vieux chiffon qui se laisse agiter. Elle donna l'impression d'être indifférente, mais, intérieurement, c'était tout autre; elle était bien décidée à n'en faire qu'à sa tête.

Cordélia, comme une mère poule, s'élança sur eux et tenta d'arracher Marianne des griffes de son père.

Fortunat intervint.

— Je veux pas de chicane dans ma maison! Vous allez réveiller les jumeaux.

La vieille Augustine cria :

– Lâche-la, Gustave, ou ben j'envoie chercher le curé!

Gustave desserra aussitôt sa prise. Seule sa mère, avec ses menaces, venait à bout de son caractère exécrable.

Elle ajouta:

– Pis ensuite, que j'entende pas dire que tu l'as bardassée!

Gustave marmonna on ne sait quoi dans sa barbe, probablement des mots qui ressemblaient à une vengeance.

– Toé, à la maison, tout de suite!

Il pointa un index vers Cordélia.

– Pis toé, que je te voie pus jamais décider à ma place!

– Quand t'es pas là, Gus Branchaud, c'est à m'man pis moé de décider. Marianne est ma nièce pis elle a le droit de nous visiter. Pis, dis-toé ben, Gus, que si tout le monde file doux avec toé, tu me feras pas ramper à tes pieds, moé, Cordélia Branchaud.

Marianne s'assit sur le siège arrière de la voiture et ne dit pas un mot du retour.

En passant devant la croix du chemin, elle vit son père soulever son chapeau par vénération envers le Christ crucifié et elle se demanda comment son père pouvait être si dur et si croyant à la fois.

Derrière eux, au village, Augustine s'en prenait à Cordélia.

– C'est ta faute si Marianne se fait chicaner. Tu devrais pas l'inviter sans qu'elle demande d'abord la permission à ses parents. Tu sais comme Gustave est ombrageux! Après, c'est Marianne qui va payer pour.

– Vous le connaissez, m'man? Avec lui, ce serait non, toujours non. C'est lui le maître, un maître inhumain.

Je plains la pauvre Héléna. Y faut être une sainte pour endurer Gus Branchaud. Même vous, m'man, vous aviez de la misère à le supporter quand on vivait dans la même maison. J'espère juste une chose : que mes jumeaux tiennent pas de lui.

* * *

De plus en plus, les enfants Branchaud faisaient clan contre leur père, et leurs confidences se passaient toujours dans les chambres du haut.

Le soir de la sortie de Marianne, le chapelet récité, les enfants montèrent les uns après les autres. Marc passa devant la chambre des filles et vit la lampe allumée. Marianne et Marie-Noëlle se tenaient assises à l'indienne sur le lit de plumes. Il s'y arrêta un moment, histoire de décompresser un peu après la soirée houleuse. Et là, étendu sur le grand lit, les genoux relevés, les bras sous la tête, il écouta Marianne raconter son retour brutal à la maison. Deux minutes plus tard, Émile s'ajouta au groupe. Il s'allongea à son tour sur le ventre, le haut du corps appuyé sur ses coudes. Il resta ainsi sur le matelas à regarder Marianne.

– Ton Théodore a un traîneau à chien ? demanda Marc. J'en veux un, moé itou. Je vais demander à p'pa.

– Y voudra pas. Y veut jamais rien, objecta Marianne. Tu risques seulement d'attraper une gifle. P'pa a toujours la main prête à frapper.

– Pis si on parle à la table, ajouta Émile, y nous met sa grosse main sur la bouche.

– Je veux un traîneau, insista Marc, pis je l'aurai.

Marc, le plus frondeur de la famille, n'attendait pas de se faire reprendre. Il prenait les devants et attaquait le premier.

* * *

Le lendemain, au dîner, Marc demanda de l'argent à son père pour acheter un traîneau.

Gustave, comme toujours, resta muet. Marc insista :

– Êtes-vous sourd ? Vous répondez jamais quand on vous parle.

Gustave se leva de sa chaise, le bras prêt à frapper, mais Marc se glissa sous la table en insistant :

– Je veux atteler mon chien !

Un silence s'installa. Comme son père ne répondait pas, Marc acheta le traîneau. Comme de fait, il revint avec à la maison le lendemain.

– Vous irez le payer, dit-il à son père.

– Va le reporter où tu l'as pris.

– Non !

Gustave se rendit donc au magasin payer le traîneau. Au retour, il le détruisit à coups de hache.

XII

Pas une journée ne passait sans que Gustave ne trouve un peu de temps libre pour aller jaser au garage Champoux.

C'était l'heure où Juliette, Marc et Émile étaient partis à la cueillette des cerises le long du fossé. Héléna, habituée de vivre dans une cuisine mouvementée, profitait de quelques heures de tranquillité pour se reposer dans la berçante. Elle reprisait les bas des enfants tout en chantonnant. Soudain, Marc et Émile entrèrent en coup de vent par la porte avant pour sortir par celle de derrière. Juliette les suivait à distance. Héléna étira le cou à la fenêtre. Ses garçons avaient-ils vu quelque chose de bizarre? Ils avaient l'air effrayé.

Près de la gare, un homme attachait son attelage. Héléna le suivit des yeux. L'étranger traversa le chemin et approcha d'un pas décidé. Il venait chez elle, mécontent, c'était évident. Ses gamins avaient-ils fait une bêtise? Sur le perron, l'homme frappa deux coups redoutables au montant de la porte. Héléna déposa son reprisage et se planta devant la porte à moustiquaire. Elle n'avait pas l'intention de laisser cet inconnu, gonflé à bloc, entrer chez elle.

L'homme, rouge de colère, lui débita d'une traite:

— Madame, vos enfants ont lancé des quenouilles dans ma voiture. Ces petits voyous se croient tout permis.

Le temps d'un éclair, Héléna imagina Gustave en train de donner une fessée aux gamins quand une idée cocasse lui traversa l'esprit.

– Quels enfants? J'ai pas d'enfants, moé, monsieur!

L'homme s'excusa et repartit bredouille.

Les enfants, cachés derrière la porte qui donnait sur le hangar, gardaient une oreille attentive à la discussion. Ils s'attendaient à des représailles.

Héléna passa la gaminerie de ses fils sous silence. Si la chose en venait aux oreilles de Gustave, celui-ci leur administrerait une fessée inoubliable.

– Les garçons, dit-elle, tâchez donc de vous amuser comme du monde.

* * *

Chaque jour, Théodore allait attendre Marianne à la sortie de l'école.

– Viens-tu faire un tour chez nous? demanda-t-il.

Les parents de Théodore étaient permissifs. Marianne était bien accueillie dans leur maison et les amourettes des jouvenceaux les faisaient sourire.

– Pas plus de quelques minutes parce que j'ai pas grand temps. Je dois rentrer à la maison avant la noirceur, sinon mon père va me chicaner.

– Je vais aller te reconduire chez vous, pis je vais y parler à ton père. Je suis sûr qu'y va comprendre.

– Sûr? On voit ben que tu connais pas mon père. Y est pas comme le tien, y comprend jamais rien. Y me trouve trop jeune pour avoir un chum.

— Comment ça s'est passé après le film ?

— Papa m'a ramenée à la maison pis y m'a défendu à l'avenir de coucher chez mémère les fins de semaine.

— Ça veux-tu dire qu'on pourra pus se voir ?

— Non, mais y faudra juste trouver un autre moyen. Je suppose que pendant les gros froids d'hiver y changera d'idée pis qu'y me laissera coucher au village.

— Tu y demanderas à quel âge t'auras la permission de recevoir au salon.

— Y me répondra pas. Y répond jamais.

* * *

Les mois couraient. Marianne ne vivait plus que pour le beau Théodore avec ses réparties pleines d'esprit. C'était un garçon attachant et affectueux. Marianne se mit à le désirer ardemment.

À la brunante, Marianne allait retrouver Théodore et ils marchaient jusqu'au gros saule pleureur, qui inclinait son tendre feuillage vers ses racines. Le dessous de cet arbre avait la forme d'un immense parapluie dont le contour touchait le sol et où les jouvenceaux pouvaient folâtrer à l'abri des regards jusqu'à ce que la nuit tombe et que l'air fraîchisse. C'était l'heure où le jour basculait dans le soir, où le chant des oiseaux faisait place au cricri des grillons et où les grenouilles entamaient leur chant nocturne. Dans les buissons, les lucioles allumaient de minuscules feux, et, à chacun, Théodore goûtait à la bouche de Marianne. De soir en soir, leurs désirs grandissaient et leur nature faiblissait. On était en mai, le mois des amours, la saison où les filles ont les yeux brillants, elles se laissent griser, leur cœur est fou.

Au début, Marianne résistait aux avances de Théodore, puis, après avoir tant résisté, elle craqua. Avec les sentiments, les principes tombent. Après ces quelques instants de frénésie, ils restèrent étendus sous le gros saule, la main de Théodore sur le cœur palpitant de Marianne.

— C'est la première fois? demanda-t-il.

— Oui, répondit-elle, étonnée. Pourquoi tu me demandes ça? J'ai jamais eu d'autres amoureux.

— Y faudrait recommencer.

Mais, sitôt rassasiée, Marianne regretta.

— Mes parents sont très sévères. Si mon père l'apprend, y va me tuer.

* * *

Les soirs de beau temps, Marianne et Théodore se permettaient certaines libertés sans se douter qu'ils s'embourbaient sans retenue dans la pire des sottises et qu'ils allaient se brûler les ailes. Leurs écarts de conduite allaient avoir des lendemains gris.

Marianne attendait impatiemment ses menstruations. Elle comptait les jours, elle qui était aussi régulière que les aiguilles d'une horloge. Rien, toujours rien! Après des nuits d'une incertitude intolérable, elle s'avoua enceinte. Quel drame dans sa petite âme d'adolescente! Pourtant, elle en avait connu des défaites, des désenchantements, mais celui-ci dépassait tous les autres.

Ce soir-là, alors que le jour agonisait, les amoureux étaient de nouveau étendus sur la végétation verdoyante. Marianne, blottie mollement dans les bras de Théodore, prit sa figure entre ses mains et, les yeux dans les yeux, elle lui dit :

— Nous allons devoir nous séparer pour quelque temps. Je vais être obligée de quitter la paroisse, à moins que t'aies des projets pour nous trois.

Théodore se rembrunit. Il prit un air pensif, saisit les mains de Marianne et les éloigna de son visage, comme si, par ce geste, il pouvait libérer ses pensées.

— Quelle sorte de projets ? demanda-t-il, nerveux

— Comme nous marier et donner un nom à notre enfant.

Théodore se cambra. Son visage était de marbre, son regard, glacé. Marianne sentit un désintéressement total de sa part et sa bouche fine se tordit légèrement.

— Tu disais que tu m'aimais, dit-elle froidement.

— C'était avant.

— Je te pensais pas aussi dur que mon père, dit-elle, les yeux au bord des larmes.

Théodore détourna la tête.

Marianne n'insista pas. Elle réalisait trop tard que pour Théodore aimer n'était qu'un passe-temps dont elle avait été le jouet. Elle avait terriblement mal dans son âme, mais elle savait se retirer. Elle avait été élevée à la dure. Elle se leva, ramassa son chapeau qui traînait sur l'herbe et secoua sa robe.

— Je dois rentrer, dit-elle, je suis déjà en retard.

Ce soir-là, pour la première fois, Théodore ne la retint pas.

— Si tu veux faire un crochet par la maison, je pourrais te prêter ma charrette à chien, ça ira plus vite. Une fois rendue chez vous, t'auras qu'à tourner le petit attelage pis dire : « Sultan, à la maison ! »

Marianne accepta l'offre de Théodore.

— Vas-tu dire à tes parents que je suis enceinte de toé ?

— Je sais pas trop. C'est pas facile de parler de ces affaires-là avec ses parents.

Marianne s'assit sur le petit siège pas plus grand qu'un cahier d'école. Le plus terrible était que, à cette heure du soir, il ne fallait plus songer à rentrer chez elle. Et pourtant, l'idée de passer la nuit dehors la tourmentait à cause de la peur et de l'inquiétude de sa mère.

— Je peux pas retourner chez mes parents. Ça commence à paraître. M'man me ferait la morale pis mon père me foutrait à la porte. M'man dit que les filles sont toujours responsables de la vertu des garçons.

— Où tu veux aller ?

— Je sais pas. Je pourrais aller coucher à la grange d'en haut.

— C'est où, la grange d'en haut ?

— C'est à un mille de chez moé, sur la montée Mathieu, un petit chemin en garnotte. Comme c'est assez loin de la maison, personne pourra me voir.

— T'auras pas peur, tout'seule ?

— Un peu. J'espère seulement qu'y aura pas de quêteux ou de traîneux de chemin qui passent la nuit là !

— Y a pas de danger. Les quêteux couchent plutôt à la gare.

— Pis la Cabelote ?

— Qui ?

Marianne frissonnait :

— C'est une revenante qui a l'air d'un homme. M'man nous a ben défendu d'aller rôder près de chez elle, pis si m'man nous le défend, c'est qu'elle flaire un danger. Mon oncle Gilbert a dit qu'elle court les bois pis qu'elle grimpe aux arbres comme un écureuil pour ramasser des noix pis des glands. Moé, j'en ai peur. Un jour que mon père l'avait engagée pour travailler aux champs, m'man nous a envoyées, Marie-Noëlle pis moé, chez Josette Lafleur.

Juste à y penser, Marianne trembla.

Théodore se pencha et tenta de l'embrasser une dernière fois, mais, d'un mouvement sec de la nuque, Marianne dressa la tête, comme un mannequin.

Elle freina les élans de Théodore. Pourtant, elle l'aimait et le désirait très fort. Théodore donna une tape sur la fesse du chien et la grosse bête prit le chemin de la grange d'en haut. Deux minutes plus tard, Marianne disparaissait avec son drame dans le désespoir noir de la nuit.

* * *

La grange était déserte et noire. Marianne entra par la porte arrière. Elle avança à tâtons sur le sol en terre battue et elle longea le mur jusqu'à ce que sa main touche un long manche, qui devait être une fourche ou un râteau. Ses yeux s'habituèrent un peu à l'obscurité. À l'aide de l'instrument, elle souleva des fourchées d'herbes sèches oubliées au sol et les amoncela dans un coin pour s'en faire un lit de paille. « Pourvu qu'y ait pas de rats icitte ! » se dit-elle. Marianne oublia vite cette possibilité pour d'autres. Elle avait dix-sept ans, elle était enceinte et Théodore ne l'aimait pas. Elle pleura un bon coup et, épuisée, elle se ramassa en boule sur son tas de paille, l'oreille aux aguets.

Soudain, un bruit, comme une porte qui bâille, la tira de son sommeil. Un frisson parcourut tout son corps. Marianne se leva d'un bond et saisit la fourche qu'elle gardait près d'elle en guise d'arme, au cas où elle aurait à se défendre contre un intrus. Elle tendit une oreille attentive, puis elle se dit que ce devait être la charpente qui faisait entendre des grincements. Plus rien ne bougeait, elle devait avoir fait un cauchemar. Quelle heure pouvait-il être? Des somnolences la prenaient, mais le moindre bruit la faisait tressaillir; tout lui était suspect. Elle passa le reste de la nuit adossée au mur rugueux de la grange à combattre le sommeil.

Au petit matin, le soleil entrait par les fissures des planches et dessinait de fines lignes dorées sur le sol. Aux brèches des murs, Marianne surveillait la venue possible de son père. La grange était loin. S'il venait, elle aurait le temps de sortir par la petite porte arrière et de se rendre à la cabane à sucre qui se trouvait plus haut sans être vue. Un mal de cœur la tenaillait. Elle ramassa du grain resté dans l'engrenage de la semeuse et en mangea un peu, juste ce qu'il fallait pour calmer sa faim.

Son désœuvrement renforçait sa tristesse. Elle se sentait comme une petite fille qui cherche les bras de sa mère pour s'y réfugier. Elle passa le reste de la journée à pleurer, à sommeiller, à attendre. Elle refusait de passer une autre nuit dans la grange; elle avait trop peur. Pour comble, le temps était lourd et humide. Elle n'en pouvait plus de combattre le sommeil pour faire le guet. Elle décida qu'à la nuit tombée, alors que personne ne la verrait, elle se rendrait chez son oncle Gilbert et elle déverserait sur lui son inquiétude.

Mais comme la noirceur tombait sur la grange d'en haut, Marianne entendit un bruit de pas sur l'herbe sèche. La peur la saisit. Elle se blottit dans un coin du fenil, les mains sur sa fourche et, ramassée en boule, tout comme ses nerfs, elle ne bougea plus. La porte arrière émit un bâillement et, cette fois, elle ne rêvait pas.

— Marianne! Es-tu là?

Elle reconnut la voix de Théodore.

— Ouf! Tu m'as fait peur.

Il était là! C'était donc qu'il ne l'abandonnait pas! Il vint s'asseoir à ses côtés.

Elle prit ses mains et resta quelques secondes sans parler.

— Le temps est en train de se cochonner, lui dit Théodore. Le vent prend de la force. Je gage qu'on va avoir un bon orage. Je peux passer la nuit avec toé, si tu veux. Je repartirai au petit matin, avant la clarté.

— C'est comme tu veux.

Marianne feignait l'indifférence, mais elle espérait désespérément que Théodore passe la nuit avec elle.

— Je vais faire entrer mon chien, y a peur des orages.

Marianne retourna à son tas de foin. Théodore s'assit à ses côtés et l'attira contre lui, mais Marianne eut un mouvement de recul.

— Tu m'aimes pas. Tu me touches pas!

Théodore resta penaud.

— C'est pas que je t'aime pas, c'est que je suis pas prêt à être père.

– Pis moé, je suis pas prête à être mère! Mais la réalité est là pis je dois faire avec. Toé, tu peux t'esquiver, moé pas. Je vais m'arranger tout'seule avec les conséquences. Je sais pas comment, mais je vais m'arranger, dit-elle, le cœur gros.

Le ton était sec. Théodore était surpris. Marianne ne lui avait jamais parlé durement. Il n'insista pas.

– T'as parlé à tes parents? demanda-t-elle.

Un violent dépit crispa son visage.

– Si on parlait d'autre chose?

– Au contraire, y faut régler ça au plus vite. Moé, j'en peux pus d'être sur le qui-vive.

Soudain, un coup de tonnerre claqua sec et une pluie torrentielle se mit à marteler le toit de tôle, comme si partout à la fois on enfonçait des clous à coups de marteau. Marianne plaqua les mains sur ses oreilles. La peur lui tordait les tripes. Des bourrasques secouèrent la grange, qui menaçait d'être emportée. Marianne trembla et claqua des dents.

– La grange va lever pis on va mourir icitte.

Théodore la rassura de son mieux.

– Mais non! C'te grange-là en a vu d'autres depuis l'temps. Viens t'asseoir à côté de moé.

Marianne se blottit contre Théodore, dont les bras étaient musclés par le travail de la ferme. Elle sentit la tiédeur de son épaule et ne bougea plus.

– J'ai peur! dit-elle. M'man dit que les sommets attirent la foudre.

– Ça durera pas, c'est monté trop vite.

– Pis si tu te trompais pis que ça durait toute la nuit?

– Non, pas quand c'est poussé de même par le vent.

Théodore avait raison. Quinze minutes plus tard, le calme revenait.

Dans le silence et l'obscurité de la nuit, ils entendirent le cri d'une chouette. Suivit un enlevant concert d'oiseaux. Marianne, désormais en confiance, s'endormit la tête appuyée sur les genoux de Théodore.

À son réveil, le ciel rosé lui fit oublier le violent orage de la nuit.

Marianne reconduisit Théodore à la porte. La nature sentait la terre et l'herbe fraîche. Marianne se retrouva à nouveau seule avec son secret. Elle resta là, en retrait, à regarder du côté où Théodore était reparti.

* * *

À la maison, on ne s'inquiétait pas de l'absence de Marianne, car on la croyait chez sa grand-mère.

– Marie-Noëlle, après la classe, tu iras dire à Marianne de venir coucher à la maison. Ton père a besoin de son aide au train.

* * *

Marie-Noëlle entra chez sa grand-mère sans frapper.

– P'pa fait dire qu'y a besoin de Marianne pour l'aider au train.

Cordélia resta hébétée et inquiète.

— Assis-toé un peu, Marie-Noëlle. Marianne est pas icitte, je l'ai pas vue depuis au moins deux jours. Où peut-elle ben être passée ? Elle serait pas chez Gilbert ?

— Non, mon oncle est venu à la maison pis y était tout seul.

— Écoute, Marie-Noëlle, ton père est peut-être mieux de croire qu'elle est icitte, sinon y va encore la maganer. Retourne chez vous pis tiens-moé au courant.

* * *

Après deux jours enfermée dans la grange, Marianne n'en pouvait plus de vivre ainsi à se cacher et à se priver de manger, ce qu'elle ne pourrait faire éternellement. À la nuit tombée, elle reprit la montée Mathieu avec la peur aux tripes et, arrivée chez son oncle Gilbert, elle frappa au carreau et attendit. Le temps passa. Rien. Elle frappa de nouveau et la porte s'ouvrit devant elle. Gilbert apparut dans un superbe pyjama de satin vert bouteille.

— Toé, icitte ? Veux-tu ben me dire où cé que t'étais passée ?

— J'ai resté deux jours à la grange d'en haut. Théodore m'avait prêté sa charrette pis son chien pour que je rentre plus vite à la maison, mais j'ai filé jusque là-bas pour pas me faire chicaner. J'ai resté là pendant deux jours, mais là, j'en peux pus.

— Veux-tu dire que t'as rien mangé depuis deux jours ?

— Oui, du grain. Pis là, j'ai une rage de faim.

— Du grain ? Ma pauvre fille ! Je pourrais te sacrifier un reste de souper, mais tu ferais mieux de rentrer chez tes parents au plus vite avant que ton père te trouve icitte : ça pourrait aiguiser son humeur. Ensuite, quand ta mère sera rassurée, tu pourras revenir me parler de ce Théodore, qui me semble un bon gars.

Debout près de la porte, Marianne, bien droite, très simple, parla calmement.

— J'aimerais ça vous avoir comme père, vous. P'pa, y est trop sévère. Là, aussitôt que je vais mettre les pieds dans la maison, la guerre va commencer. Y me parle pas, y me malmène, pis moé, je supporte pas de me faire brusquer.

— Je le connais mieux que toé, Marianne, pis je le trouve plutôt à plaindre. Y vit ben, mais y est pas heureux. Y oublie ce qui est le plus important : sa famille.

— Y endure jamais un manque ou un retard, surtout de moé. Y me déteste. Tantôt, je vais encore manger une raclée.

— Et ta mère, là-dedans ?

— Vous connaissez m'man. Jamais un mot plus haut que l'autre. Elle dit rien, elle rampe à ses pieds. Je pense qu'elle en a peur. Bon ! Je dois y aller.

— J'espère que ça va s'arranger avec ton père.

— Ah, pour ça non ! dit-elle, les lèvres tremblantes. Quand y va apprendre que je suis enceinte, y va me tuer.

— Quoi ? Toé, Marianne, enceinte ?

— Venez donc faire un tour à la maison tantôt, des fois que ça calmerait p'pa.

Marianne sortit en lançant un bonjour de la main.

Gilbert la regarda s'en aller le pas lourd. Elle n'avait plus son marcher un peu dansant et exquis comme les filles lors de la transition de l'adolescence à l'âge adulte.

Marianne entra chez elle sans bruit et fila directement à sa chambre.

En bas, la porte claqua. Marianne reconnut la voix douce de Gilbert et elle pensa que bientôt sa mère connaîtrait son secret.

* * *

Le lendemain matin, Gustave appela Marianne pour l'aider au train. L'adolescente ne répondit pas. Dans la cuisine, Héléna préparait le déjeuner.

— Marianne file pas. Je ne sais pas ce qu'elle a mangé hier chez votre mère, mais elle vomit sans arrêt.

— Dites à Marc de venir traire la vache.

— Y dort.

Gustave cria :

— Marc, viens m'aider au train !

Marc rétorqua, la voix ensommeillée :

— Moé, ma job, c'est de remplir le coin à bois, pis c'est fait !

Sans un mot, Gustave monta à l'étage, tira Marc du lit, le poussa brusquement dans l'escalier et lança ses vêtements au bas des marches. Marc eut tout juste le temps de s'accrocher d'une main à la rampe pour amortir sa descente rapide.

En bas, Héléna beurrait une rôtie à l'intention de Marianne quand Marc atterrit à ses pieds.

— Doucement, toé !

— C'est p'pa qui m'a poussé dans l'escalier.

— Hein ? As-tu du mal ?

– Oui, j'ai mal à un coude.

Héléna jeta un regard de travers à Gustave, mais elle ne l'atteignit pas. Comme toujours, son mari ne regardait nulle part.

– Tu me montreras ça en rentrant de l'étable.

Marc sortit, furieux contre son père.

– Ça s'arrêtera pas là! dit-il en claquant la porte sur ses talons.

Héléna monta. En haut, ses pas glissaient sans bruit dans le petit corridor qui menait aux chambres.

Marianne, assise sur le bord de son lit, tenait sur ses genoux un bol à main puant de vomissures et, même si son estomac était vide, elle continuait de faire des efforts pour régurgiter. Marie-Noëlle dormait à son côté. En apercevant sa mère, Marianne leva un regard vers elle.

Héléna resta plantée devant sa fille à la regarder. Elle la prenait en pitié. Ce matin lui rappelait ceux où, enceinte de ses enfants, elle souffrait de nausées matinales. Marianne avait la figure boursouflée, les seins gonflés, la taille épaisse. Sa mère se demandait où étaient passés ses yeux rieurs et sa bouche aux commissures moqueuses. Tout en observant sa fille, un doute saisit Héléna. Ces dernières semaines, Marianne était songeuse, taciturne, ce qui était surprenant chez une fille qui bavardait sans arrêt. Sa mère lui dit à voix basse :

– Mets tes souliers pis descends, j'ai à te parler seule à seule, pis icitte, c'est pas la place, dit-elle en levant le menton pour désigner Marie-Noëlle, qui dormait dans le même lit.

Mais Marianne ne bougea pas, assurée que sa mère devait connaître son état. Elle regardait la photo de groupe de sa classe sur la commode. À sa droite se trouvait Josette et, à sa gauche, Marie-Noëlle. C'était avant de connaître Théodore, avant d'être enceinte. Elle se dit : « Si je pouvais reculer dans le temps. » Maintenant, c'était trop tard, elle devait faire face à la réalité. Elle descendit.

En bas, sa mère approcha la berçante du poêle et y colla une chaise droite. « Mon Dieu, dit Héléna intérieurement, faites que ce ne soit pas ce que je redoute ! »

Marianne, l'air défait, attendait au bas de l'escalier.

— Viens t'asseoir icitte pis dis-moé ce qui va pas. Je suis ta mère et j'ai le droit de savoir.

Marianne ne répondit pas. Elle avait du mal à mettre son cœur à nu devant sa mère. Une certaine pudeur mettait une barrière insurmontable entre sa mère et elle. L'adolescente rebelle redevint soudain toute douce et soumise.

— Quand as-tu eu tes dernières règles ?

Marianne se mordit les lèvres. Ce qu'elle vivait de terrible dans son âme ne se disait pas.

— Réponds-moé, Marianne, insista sa mère. J'ai besoin de savoir de quoi souffre ma fille.

Marianne fondit en larmes et bafouilla : « Y a trois mois. »

Sa mère lui laissa son temps de larmes. Puis, quand Marianne lui sembla calmée, elle lui dit :

— Pas trois mois ? Tu te trompes pas ?

— Non, m'man.

— Pis t'as gardé ce secret tout ce temps ?

— Je pensais que mon oncle Gilbert vous l'avait dit.

— Gilbert savait? dit-elle, surprise que sa fille aille chercher un réconfort ailleurs que chez sa mère.

Marianne ne répondit pas.

En avouant sa maternité à sa mère, Marianne éprouvait un grand soulagement, comme si, d'un coup, elle lui transférait son problème.

Héléna imagina la suite des événements comme une montagne insurmontable. Elle savait qu'elle ne pourrait pas compter sur l'appui de Gustave et elle se sentait seule et démunie devant un si gros problème. Marianne la voyait se prendre la tête à deux mains, comme pour l'empêcher d'éclater.

— Ma pauvre petite fille.

Sa mère la regardait avec ses yeux un peu tristes comme son âme.

Marianne n'avait pas écouté ses recommandations, comme savoir garder sa place, bien se tenir, entrer à des heures décentes, se méfier des garçons. Maintenant, elle rougissait et baissait les yeux pour éviter son regard.

— Vous pouvez pas savoir comme je m'en veux, m'man, de vous causer tant de peine!

— C'est trop tard pour les remords. Asteure, y faut trouver une solution.

En l'espace d'un instant, Héléna imagina la réaction de Gustave, l'éloignement de sa fille et le sort de l'enfant qui serait son petit-fils.

Marianne regarda sa mère et se jeta dans ses bras avec une sorte d'épouvante.

— Vous allez pas me croire, m'man, mais je vous aime.

Marianne renversa sa tête sur l'épaule de sa mère, qui, sidérée, ne disait mot. Héléna caressa la tête blonde de sa fille pendant que ses yeux faisaient le tour de la pièce, comme si elle cherchait ou redoutait quelque chose.

— Écoute-moé ben, Marianne, pas un mot à ton père à ce sujet, tu m'entends? Je tiens aussi à ce que tu me dises tout et que tu suives mes consignes à la lettre si tu veux que je t'aide.

Marianne acquiesça d'un signe de tête.

— Je regrette de vous causer tant de trouble.

Héléna tapota sa main; Marianne avait besoin d'être rassurée.

— Qui est ce garçon?

— Théodore Desrochers.

— Il connaît ton état?

— Oui, répondit Marianne en reniflant, pis là, on sait pus quoi faire.

— J'espère qu'il va se la fermer, dit Héléna. Si la chose se sait, ça va faire du bruit dans la paroisse. Laisse-moé réfléchir un peu.

Héléna se rappela que la même situation s'était présentée des années plus tôt dans sa famille, alors que Yolande Lauzon, à quinze ans, était tombée enceinte de son frère Jean-Guy. Ses parents les avaient aidés malgré leur pauvreté. Cependant, pour elle, les choses étaient différentes. Elle ne pourrait pas compter sur l'appui de Gustave, ça, c'était bien clair dans son esprit, ni avoir recours au curé. Avec des prêtres dans la famille, c'était un peu délicat.

— Tu vas déjeuner et faire ta toilette. Ensuite, tu vas demander à ton oncle Gilbert de te conduire chez ta grand-mère pis de ramener Cordélia au retour. Tu diras à ta tante que j'ai affaire à elle pis que c'est très important. Là-bas, tu seras à l'abri de la colère de ton père.

— Allez-vous dire à mémère que je suis enceinte?

— Y faudra ben en venir là. Moé, je pourrai rien faire seule. Tu lui annonceras toé-même, pis attends-toé pas à ce qu'elle soit tendre à ton endroit. Les Branchaud sont des gens fiers, et, pour eux, l'honneur et le devoir ont toujours passé au premier rang. Leur orgueil va en prendre tout un coup. Par contre, ta grand-mère est une bonne personne, elle va garder ça pour elle.

— Je veux pas y dire, ça me gêne trop.

— Tu sais, ma grande, asteure que tu t'es mise dans de beaux draps, tu dois faire face à la musique.

— Pis si elle se fâche?

— T'attendras que l'orage passe.

— Qu'est-ce que vous allez faire de moé?

— Je sais pas. Laisse-moé un peu de temps pour me ressaisir. Je vais commencer par parler à ton père.

— Je vous cause ben des soucis, mais ça me soulage que vous le sachiez parce que là, je savais pus quoi faire ni où aller.

Héléna lui donna une tape affectueuse dans le dos.

— Va! Fais ce que je t'ai dit.

* * *

Au village, après le départ de Gilbert et Cordélia, la vieille Augustine Branchaud resta dans la porte de sa cuisine à regarder s'éloigner la voiture.

— Y sont donc ben mystérieux, ces deux-là ! dit-elle. Je me demande ben ce qu'y sont en train de manigancer dans mon dos.

Marianne, assise dans la berçante, regardait se déplacer sa grosse mémère chaleureuse et aimante. Sa robe grise traînait par terre parce que son corps s'écourtait avec les années. L'air songeur, Marianne sentait que c'était le temps de parler.

— Mémère, venez vous asseoir un peu, je vais tout vous dire pendant que mon oncle Fortunat est parti sonner l'angélus avec les jumeaux, mais je vous avertis, vous serez pas contente.

— Qu'est-ce que tu racontes là ?

— Y faut d'abord que je vous dise un secret, quelque chose de ben grave, pis ça, c'est pas facile.

— Parle, ma petite fille. Fais-moé pas pâtir pour rien.

— C'est un peu compliqué. C'est moé qui est en cause. Quand vous saurez tout, vous allez m'haïr.

La vieille lui jeta un regard qui voyait au fond de son âme.

— Qu'est-ce que tu vas croire, là ?

Ça faisait quelque temps qu'Augustine toisait la taille de Marianne. Elle avait un petit doute, mais elle ne voulait pas y croire. Après tout, Marianne n'avait que seize ans et elle ne s'éloignait jamais de la maison.

— Tu sais, à mon âge, on sait deviner des choses que les jeunes savent pas voir. Toé, si je me trompe pas, ta taille a épaissi.

— Vous le saviez pis vous disiez rien ?

– Y fallait d'abord que je m'en assure. Et pis, encore là, c'était pas à moé de t'en parler la première.

Marianne crut voir une larme rouler sur la joue fripée de l'aïeule. Mal à l'aise de causer de la peine à sa grand-mère, elle baissa ses beaux yeux humides. Elle qui s'attendait à des remontrances de la part de sa grand-mère, celle-ci ne manifestait que de la peine.

La vieille se leva en marmonnant :

– Quelle famille n'a pas son enfant illégitime ? Attends-moé icitte.

Augustine se rendit à sa chambre et revint avec un billet de cinq dollars, qu'elle tendit à Marianne.

– Tiens, prends ça.

– Cinq dollars ! Je peux pas accepter ça, mémère. Juste de pas me faire chicaner est déjà un cadeau. Surtout que je vous fais de la peine.

– Prends-le. Avec tout ce qui s'en vient, t'en auras besoin.

– Cinq dollars ! C'est le salaire d'une semaine de travail.

Marianne remercia son aïeule et l'embrassa sur les deux joues.

– C'était pour ça, tout ce branle-bas tantôt ?

– Oui. M'man veut pas être seule quand elle va l'annoncer à p'pa. Elle aime mieux que mon oncle pis ma tante soient là.

– Je peux-tu te donner un p'tit quelque chose à manger en attendant qu'y reviennent ?

– Je mangerais ben des tranches de patates rôties sur le rond du poêle. Ç'a un bon goût de fumée, mais c'est de l'ouvrage pour vous.

– Tu sais, je perds un peu la main.

– Ben non, mémère, y a personne pour les faire bonnes comme vous les faites.

– Viens, prends la berçante à côté du poêle.

* * *

Chez les Branchaud, Héléna attendait le retour de Gilbert et de Cordélia pour mettre Gustave dans le secret. Elle comptait sur leur présence et leur protection au cas où celui-ci deviendrait violent à son endroit – il allait inévitablement décharger sa colère sur quelqu'un. Le moment propice serait le soir, une fois les enfants endormis.

* * *

Héléna reçut Gilbert et Cordélia à souper, mais cette dernière mangea peu. Sa petite Marianne, encore une enfant, allait être maman. C'était impensable. Cordélia sentait un nœud se former dans sa gorge. Elle se demandait comment allait réagir Gustave quand il apprendrait que sa fille est enceinte. Il l'accuserait de ne pas l'avoir bien surveillée les soirs où Marianne couchait au village, et avec raison.

Loin de la juger, Cordélia ne pensait qu'à protéger sa petite Marianne, qui avait besoin d'aide. Comment pourrait-elle la sortir de cette situation ? Un fait semblable lui revint en mémoire. Elle attendrait le moment propice pour en parler.

Héléna attendit que les enfants montent à leur chambre pour entrer dans le vif du sujet. Comme à son habitude, Gustave enleva sa chemise. Héléna détestait qu'il se montre en haut de combinaison devant la visite. Assis dans la berçante, il allumait sa pipe. Héléna débitait des banalités et tournait en rond. Finalement, elle se décida et dit tout d'une traite :

— Gustave, j'ai une mauvaise nouvelle à vous annoncer. Marianne est enceinte.

À la surprise générale, Gustave ne dit rien, comme si Marianne n'était pas sa fille.

Héléna avait l'impression qu'il était complètement sourd et ça l'indisposait beaucoup. Elle insista :

— On va devoir faire quelque chose pour elle. Il faudra l'aider et ça va prendre des sous.

— Foutez-la dehors !

Gustave se leva et asséna un coup de poing sur la porte de sa chambre, qui se défonça sous leurs yeux.

— Ça n'a pas de sens, Gustave, notre fille a besoin qu'on l'épaule pis ça revient à nous, ses parents, de nous en occuper.

Il s'écria de nouveau :

— Foutez-moé cette guidoune dehors !

Gilbert, assis au bout de la pièce, l'observa le regard en coin.

Cordélia se redressa sur sa chaise, comme si elle avait reçu un coup aux reins.

— Gus Branchaud, Héléna te parle de Marianne, Ma-ri-an-ne, ta fille, pas d'un chien.

— Elle est la honte de la famille.

— Y en a peut-être d'autres avant elle qui y ont tracé le chemin. C'est pas des affaires que les familles crient sur les toits, hein! Si toutes les filles-mères portaient une clochette au cou, tu serais peut-être ben surpris d'entendre le nombre.

— Pas dans notre famille.

Voilà l'occasion que Cordélia attendait.

— Non? Pis Fernande, notre sœur Fernande, elle fait pas partie de notre famille, elle?

Gilbert, étonné, n'en croyait pas un mot.

— Pas Fernande, dit-il comme pour se convaincre, le regard perdu dans la lune.

Il apprenait ce secret en même temps que Gustave.

— C'est pour ça qu'elle a été des années sans venir à La Plaine, constata Gilbert.

Cordélia s'entêtait:

— Envoye, Gus, parle-moé-z'en de Fernande. Rappelle-toé quand on nous a fait croire qu'elle était partie étudier à Montréal pis qu'elle a disparu de la place pour aller se cacher là-bas, c'était pour cacher son état. Ça fait que pour la honte de la famille, on repassera.

Gustave savait-il? Il ne parlait pas. Il sembla à Cordélia qu'il tendait l'oreille. Gustave n'avait jamais fait le calcul; il était trop concentré sur sa personne.

Cordélia insistait et tentait d'amadouer Gustave:

— Nos parents ont fait le nécessaire pour elle. Pis asteure, c'est à ton tour de le faire pour ta fille.

Héléna insista:

— La honte, Gustave, c'est dans la tête des gens. Notre fille, c'est notre chair, notre sang et, que vous le vouliez ou non, il en sera ainsi jusqu'à la mort.

Gustave se butait dans son silence. Toutefois, il devait être nerveux, de grands cernes de sueur mouillaient les sous-bras de sa combinaison. Gilbert intervint :

— C'est ta fille, Gustave, mais c'est aussi ma nièce. Pis là, elle est dans le besoin. Si tu veux pas t'en occuper, d'autres vont le faire à ta place.

Héléna regarda Gustave avec des yeux suppliants. Ils avaient la chance de posséder quatre blocs à logements dans l'est de la ville. Marianne pourrait en habiter un et ainsi être logée convenablement.

— Vous pourriez lui fournir un logis. Pis en plus, vous allez devoir débourser un peu d'argent pour la nourriture.

— Jamais! C'est son problème, dit-il. Qu'elle se débrouille! Pis je veux pus en entendre parler.

— Pis la laisser à la rue sans rien à manger? Vous pensez pas à ce que vous dites. Personne la logera pour rien. Nous sommes ses parents et c'est à nous de nous en occuper. Elle est dans le besoin avec ce qui s'en vient.

— Elle aura pas une cenne de moé. Pis que je la voie surtout pas se montrer le nez dans la paroisse parce que je la sortirai.

Héléna, toute désemparée, ne voyait plus aucune issue.

— Je sais pus quoi faire, dit-elle. Des fois, Gustave, je me demande si vous avez un cœur.

Cordélia se leva et approcha son visage à deux pouces de celui de Gustave.

– On sait ben! La paroisse est ben plus importante que ta fille. Tu sais ce qu'elle dit de toé, la paroisse? Elle dit que t'es un ours pis que t'es bête comme tes pieds. Pis elle a pas tort.

Cordélia brandissait son index sous le nez de Gustave.

– T'es rien qu'un sans-cœur, Gus Branchaud. Gilbert pis moé, on va s'en occuper, de ta fille. Mais ta dureté te retombera ben sur le nez. Un jour, tes enfants vont te virer le dos pis tu vas te retrouver fin seul. À ce moment-là, y sera trop tard pour regretter.

Gustave secoua lentement sa pipe dans le cendrier et se leva.

Comme il allait sortir, Héléna se plaça en travers de la porte et lui dit:

– Maintenant, Gustave, je tiens à ce que ce qui arrive à Marianne reste secret, autant pour monsieur Champoux que pour Antoine pis Agathe. Sinon, je vais quitter cette maison avec tous les enfants et vous n'entendrez plus parler de nous.

– Pour vous mettre en ménage avec Gilbert? la nargua Gustave.

– Vous êtes odieux, Gustave Branchaud!

Gustave contourna sa femme et sortit en claquant la porte.

Héléna se mit à pleurer. Gilbert et Cordélia se regardaient, tristes et impuissants à la soulager. Enfin, Héléna prenait sa place en menaçant Gustave de quitter sa maison, mais elle aurait dû s'imposer bien avant, au tout début de son mariage.

Cordélia offrit de prendre Marianne chez elle.

— Moé, je suis prête à la garder avec le bébé.

— Vous êtes ben bonne, Cordélia, mais Marianne devra quitter la place au plus tôt, ça commence déjà à paraître. Mais comment partir sans un sou? On peut toujours pas la jeter à la rue pis l'oublier.

— Et si on en parlait à monsieur le curé? proposa Cordélia.

Gilbert leva une main apaisante.

— Attendez! Avant, on va essayer d'y voir clair. Qui est le père? Son petit ami Théodore, je suppose?

— Oui.

— Ses parents n'en savent probablement rien. Y faudrait commencer par les rencontrer. Ça les regarde, eux aussi.

— Gustave va refuser de m'accompagner. Comme vous avez pu voir, Marianne est le dernier de ses soucis.

— Si vous le voulez, je peux vous accompagner, Héléna.

— Gustave voudra pas, y me refuse toute sortie. Je suis confinée à la maison, sans même avoir la permission de mettre les pieds chez mes voisines. Vous savez, votre frère n'est pas facile.

— Vous allez devoir vous affirmer, Héléna. Il est de votre devoir de vous occuper de votre fille. Gustave consentira, de force s'il le faut. On dit qu'y a juste le curé qui est capable de le faire ramper. Au pis aller, on aura recours à lui.

— Pis si y se venge sur les enfants?

Cordélia intervint:

— Je serai là, moé, pis si y s'en prend à eux autres, je demanderai l'aide des voisins. Son orgueil en prendra un coup.

— Je me demande ben ce que je ferais si je vous avais pas, vous deux.

Ce soir-là, au coucher, Héléna se demanda quelle était sa plus grande préoccupation : le drame de Marianne ou la mort de son amour pour Gustave.

De ses amoureux, elle avait choisi le pire : Émilien l'avait rejetée, Henri l'avait follement aimée et c'est Gustave, le plus cruel des trois, qu'elle avait marié.

* * *

Gilbert et Héléna frappèrent chez les Desrochers et demandèrent à parler aux parents de Théodore.

— Vous êtes sans doute le père et la mère de Marianne ?

Héléna fit oui d'un petit signe de tête.

— La mère et l'oncle.

Gilbert tendit la main avec un sourire bienveillant, comme il convenait, même s'il savait que la visite serait désagréable.

Pour les Desrochers, l'annonce d'un enfant dont leur fils était le père fut une surprise totale. Théodore était muet, sa mère ravalait. Le père, dépassé par cette nouvelle inattendue, attrapa son garçon par les épaules et tenta de le secouer fortement, mais celui-ci, devenu un homme, restait inébranlable. Desrochers, surexcité, le traita de tous les noms, ce qui était contraire à la nature de cet homme. Les Desrochers étaient du bon monde. Il devait craindre des représailles ; un père est responsable des fredaines de son fils jusqu'à sa majorité, soit vingt et un ans. Finalement, l'homme s'en prit à Marianne, qu'il tenait responsable de la vertu de son fils.

Gilbert, qui jusque-là était resté calme, ne put se retenir de répliquer :

— Toute la faute retombe sur la fille !

— Vous comprenez tout. Mon fils n'aurait pas fait un enfant seul.

— Même chose pour Marianne, monsieur !

Héléna, qui n'avait rien dit jusqu'alors, tourna les yeux vers Théodore.

— Vous, Théodore, vous devez avoir votre mot à dire dans toute cette histoire. Vous êtes le père. Qu'est-ce que vous comptez faire ?

Théodore, jusque-là silencieux, hésita et chercha à se blanchir.

— Qui peut vous assurer que c'est moé le père ? demanda-t-il.

— Marianne me l'a dit et Marianne ne ment pas.

— Y faudrait le prouver.

Devant ses parents, Théodore refusait de reconnaître sa paternité, c'était clair. La discussion n'avançait à rien, sinon que les Desrochers refusaient dorénavant leur porte à Marianne. Desrochers alla jusqu'à accabler Héléna de menaces.

— Votre fille fait mieux de se tenir loin de mon garçon.

Héléna était sans mot. Desrochers avait la même réaction que son Gustave. Tous les hommes étaient-ils semblables ?

– Les sentiments de nos jeunes sont importants, et encore plus quand un enfant est en cause.

Sur ce, Gilbert se leva.

– Vous êtes responsable du comportement de votre fils, monsieur Desrochers, et tout n'est pas fini pour vous.

Gilbert et Héléna quittèrent la maison des Desrochers pas plus avancés qu'à leur arrivée. Héléna monta dans la voiture, le cœur triste, le cerveau vide, mais combien reconnaissante envers Gilbert.

– Merci d'avoir joué le rôle de père pour Marianne.

– Ce fut un plaisir pour moé, dit-il en soulevant son chapeau.

– Asteure, c'est Marianne qui va avoir de la peine quand elle va apprendre le rejet de Théodore, dit-elle.

Arrivée à la maison, Héléna invita Gilbert à entrer.

– Nous allons jaser de tout ça devant un café, le temps de mettre Cordélia au courant des derniers développements. Elle doit attendre des nouvelles.

En voyant son frère entrer, Gustave déserta les lieux.

Lentement, Héléna et Gilbert développaient une complicité.

* * *

Ce soir-là, Héléna s'endormit la tête appuyée sur la table de cuisine.

Juliette descendit l'escalier, la main sur la rampe. Elle s'approcha de sa mère et la secoua.

– Pourquoi vous dormez pas dans votre lit, m'man ?

Héléna serra très fort sa fille sur sa poitrine.

– Qu'est-ce que vous avez, m'man, vous pleurez?

Héléna essuya ses yeux et inventa une excuse. Sa fille n'avait pas à la voir ainsi.

– J'ai fait un mauvais rêve. Viens.

Héléna suivit l'enfant à son lit et remonta tendrement la couverture sous son menton.

– Dors, ma belle.

Et elle pensa: «Celle-là en a encore pour quelques années avant de me causer du souci.»

* * *

Une semaine passa. Marianne était toujours au village, mais elle ne sortait pas de la maison. Cordélia la bourrait de conseils.

– Tout le monde va essayer de te convaincre de donner ton bébé, mais écoute que ton cœur. Si on veut t'enlever ton petit, va pas dire: «Je veux le garder.» Tu diras plutôt: «Je tiens à le garder.» Et n'en démords pas parce que tu seras jamais heureuse sans lui. Au pire-aller, je le prendrai avec moé pis je l'élèverai pour que tu le perdes pas de vue.

– Vous en avez déjà trois.

– À douze ans, mes jumeaux sont pus des bébés. Tu sais, ça me déplairait pas de recommencer à bercer.

Cordélia ressentait déjà un attachement pour le petit être qui s'annonçait, comme lorsque fillette, elle vouait une tendresse à une vieille poupée avec qui elle dormait et dont elle n'arrivait plus à se départir.

Marianne se jeta dans ses bras.

— Vous êtes ben bonne! dit-elle. Y a juste vous pour me dire des affaires de même. Dire qu'à l'arrivée des jumeaux, j'ai pensé que vous m'aimeriez plus!

— Voyons donc, Marianne, dit Cordélia. L'amour, ça se multiplie, ça se divise pas.

Le dimanche suivant, Gustave refusa de déjeuner chez sa mère, sans en donner la raison. Héléna savait, elle, qu'il ne voulait pas voir Marianne. C'était leur première absence en dix-huit ans de mariage et les enfants lui en voulaient de leur enlever ce plaisir, qui semblait pour eux un droit acquis, Marie-Noëlle surtout, qui sentait flotter un mystère dans l'air et qui espérait jaser seule à seule avec Marianne pour confirmer ses doutes. C'était raté. Après la messe, Gustave fila directement à la maison.

Après avoir déjeuné avec sa mère, Gilbert frappa chez Gustave et entra sans attendre de réponse.

— Prenez une chaise, Gilbert, offrit Héléna.

Gustave sortit. Héléna s'approcha de la fenêtre et le suivit des yeux.

— Y s'en va encore au garage Champoux. Je me demande ce qu'y a tant à raconter quand, icitte, y parle juste pour le strict nécessaire.

— Je pense avoir une bonne nouvelle à vous annoncer, Héléna. M'man a parlé à Rosaire pour Marianne.

— Pis, qu'est-ce qu'y a dit?

— Comme vous le connaissez, c'est pas Rosaire qui va porter des jugements. Y a juste dit qu'y allait s'occuper de trouver une pension à Marianne à Montréal. Comme curé, y connaît tous ses paroissiens. Y a même déjà un couple en vue. S'ils acceptent de garder Marianne, ça évitera ben des cancans dans la place.

Héléna essayait d'interrompre Gilbert, mais trop tard; Marie-Noëlle avait entendu leur conversation.

« Des cancans ! » Marie-Noëlle semblait frappée par la foudre. Ses deux grands yeux ronds allaient de Gilbert à sa mère. Gilbert réalisa soudain qu'il s'était échappé devant Marie-Noëlle. Il plaqua une main sur sa bouche et rougit, incapable de remédier à sa gaffe.

Les doutes de Marie-Noëlle se confirmaient.

— Vous dites que Marianne va partir de la maison ?

— Oui, elle va aller travailler à Montréal, mentit sa mère.

— Je veux y aller moé itou.

— Non, j'ai besoin de toé icitte.

* * *

À Montréal, le curé Rosaire Branchaud avait contacté un couple sans enfants qui acceptait d'héberger Marianne gratuitement jusqu'à l'accouchement, à condition d'adopter le bébé. Mais avant de faire des démarches d'adoption, les parents adoptifs attendraient de voir si l'enfant était normalement constitué.

Le dimanche suivant, Marianne, mise au courant du projet d'adoption, refusa net.

— Je tiens à garder mon bébé, dit-elle.

L'oncle curé insista :

— Réfléchis, Marianne. Chez les Provencher, ton enfant aurait de bons parents, que tu aurais pris le temps de bien connaître. Comme ils sont à l'aise monétairement, ces gens pourraient le faire instruire. Je sais que ça exige un gros sacrifice de ta part, mais ce serait dans l'intérêt de ton enfant.

Pour Marianne, l'affection passait avant l'instruction. Elle trancha net, comme sa tante Cordélia le lui avait enseigné.

— C'est non, mon oncle, et ça restera non!

— Et si, avec le temps, tu trouves la charge trop lourde et que tu changes d'idée, ton enfant sera confié à des inconnus et tu ne sauras pas comment il serait traité.

— C'est non! Je le garde. S'il le faut, je quêterai, mais je vais le garder.

— Je vais tenter de trouver mieux, lui dit l'oncle curé.

* * *

Le curé Rosaire dénicha une autre pension, rue Masson cette fois, chez une veuve dans la cinquantaine. Madame Philibert logeait déjà deux pensionnaires, des jeunes filles qui travaillaient au grand magasin Simpson. La pension serait minime, à condition que Marianne accepte d'accomplir certains travaux ménagers. Madame avait bien spécifié: «C'est ben parce que vous êtes mon curé que j'accepte de prendre votre petite protégée.»

L'abbé Rosaire s'engagea à payer un minimum de frais.

Le dimanche suivant, Rosaire mit Marianne au courant des derniers développements.

— Madame Philibert est prête à te recevoir quand ça t'adonnera. Lundi, je pourrai t'y conduire moi-même.

— Merci, mon oncle, de vous occuper de moé comme
vous le faites! Vous êtes pas obligé. Vous êtes trop bon.
Au fait, m'man veut absolument voir chez quelle sorte de
gens je vais habiter.

— Autre chose aussi. Je dois te demander une grande
discrétion à ce sujet. Comme je suis le curé de la paroisse,
ces gens ne doivent pas savoir que tu es ma nièce.

— Vous pouvez compter sur moé.

* * *

À La Plaine, le jour du départ, Héléna demanda à
nouveau un peu d'argent à Gustave pour payer le train
qui emporterait sa fille à la ville. Gustave ne répondit pas.

— Vous n'avez rien à dire à votre fille avant son départ?

— Oui, qu'elle disparaisse de ma vue!

Héléna se raidit.

— Vous n'aurez donc jamais d'égards pour votre
famille, dit-elle.

Héléna se permit encore une fois de puiser dans la
réserve de son mari.

Le lendemain, Marianne prit le train avec pour seul
bagage une petite valise qui semblait contenir toute la
solitude de son cœur.

Son oncle l'attendait à la gare pour la conduire à sa
pension à Montréal. Elle ne dit pas un mot du trajet.
Qu'est-ce qu'une fille enceinte aurait eu d'intéressant à
raconter à un prêtre quand elle venait de quitter sa famille
pour aller vers l'inconnu? Rapidement, le paysage n'était
plus le même; les odeurs de terre retournée laissaient place

aux émanations de pétrole, aux puanteurs de la ville. Plus rien ne lui était familier.

Une fois arrivée devant sa pension, Marianne remercia son oncle.

— Vous êtes ben bon de vous occuper de moé de même.

— J'espère seulement que tu vas te sentir bien, ici.

L'oncle Rosaire la quitta sur le bord du trottoir.

Marianne devait monter deux escaliers extérieurs en fer forgé. Elle s'agrippa à la rampe et prit son temps pour ne pas trop s'essouffler.

Madame Philibert, une grosse femme aux bajoues pendantes, la reçut aimablement. Elle lui retira sa valise des mains.

— Je vous attendais plus tôt. Vous avez fait un bon voyage?

— Oui, madame.

— Suivez-moé, je vais vous montrer votre chambre.

C'était une petite pièce située du côté sud de la maison. Marianne aurait préféré une chambre qui donnait sur la rue, mais les deux étaient déjà louées. Elle se consola avec le soleil qui entrait à pleine fenêtre et qui colorait son petit univers.

— La toilette est là, au bout du passage. Elle sert aux trois locataires.

Pour la première fois, Marianne avait une chambre à elle seule, un lit double en fer, et elle n'avait plus à redouter les coups de son père. Surtout, elle garderait son enfant. Tout s'arrangeait à son avantage, sauf qu'elle se sentait loin de Théodore et des siens. Elle plaça le peu d'effets qu'elle possédait dans une petite commode à trois tiroirs placée en angle de la pièce.

Son linge rangé, Marianne ne savait plus à quoi s'occuper. Elle regardait à la fenêtre, où elle ne voyait que des toits et des balcons pleins de détritus qui bougeaient au vent. Elle n'apercevait pas âme qui vive dans tous ces logements, seulement un chat gris qui sautait d'une galerie à l'autre. Il fallait bien rester dans une grande ville pour ne voir personne.

Dans une heure, le dîner serait servi. Marianne traversa à la cuisine.

— Est-ce que je peux vous aider? demanda-t-elle. Je sais pas quoi faire de mes dix doigts.

La logeuse lui jeta un regard étonné.

— Qu'est-ce que vous savez faire?

— Tout: je sais boulanger, préparer les repas, tuer une poule, la cuire…

La femme éclata de rire.

— Vous, à votre âge, tuer une poule?

— À la campagne, on apprend à tout faire: la boucherie, le ketchup, les cornichons. Je suis habituée, j'aidais ma mère dans la maison.

— Bon! Je pense qu'on va ben s'entendre. Si vous voulez éplucher les patates, elles sont sous l'évier.

— Ça en prendra combien?

— Trois.

— Je peux en éplucher plus, vous en auriez pour le souper. C'est si bon réchauffé avec des petits oignons rôtis dans le beurre.

— Dans ce cas, épluchez-en six ou huit.

La femme resta là à la regarder les yeux ronds, comme si l'étonnement la rendait incapable de réagir.

— Qui sont vos voisins d'en arrière ? demanda Marianne.

— Je les connais pas.

— À Montréal, vous vous pilez sur les pieds pis vous vous connaissez pas ? C'est curieux, ça ! Chez nous, tout le monde connaît tout le monde, pis, en plus, ça se connaît par son petit nom.

La visite du vendeur de glace vint interrompre leur conversation. La logeuse se pressa d'ouvrir la glacière.

— Prenez garde de pas mouiller mon plancher, dit-elle.

Après le dîner, alors que la maison de pension retombait dans le silence, Marianne put se permettre un long somme.

XIII

Les mois passèrent, tous plus ennuyants les uns que les autres pour une petite campagnarde transplantée à la ville. Un jour où Marianne s'ennuyait à mourir, la logeuse lui tendit une lettre.

– Tenez! C'est pour vous, ça vient de La Plaine.

Marianne se rendit à sa chambre pour la lire en toute tranquillité. Elle déchira la petite enveloppe et lut:

Ma très chère enfant,

La maison est bien vide depuis ton départ. Comment vas-tu? Je m'inquiète tellement pour toi. As-tu trouvé un médecin pour t'accoucher? Le jour où le bébé va arriver, si la chose est possible, fais-moi avertir par télégramme et je ferai tout ce qui est en mon pouvoir pour être auprès de toi.

Ici, ça va couci-couça. Tes frères et sœurs vont bien. Théodore Desrochers a rendu visite à Gilbert et lui a demandé ton adresse. Gilbert lui a dit qu'il te demanderait la permission avant de la lui donner. Ton oncle a trouvé qu'il avait l'air plus parlable quand il était seul qu'en présence de ses parents. Il veut peut-être prendre ses responsabilités.

As-tu trouvé l'encrier et le papier à lettres que j'avais mis sous tes vêtements dans ta valise? Je craignais que l'encrier se renverse pendant le voyage et magane tout ton linge.

J'attends des nouvelles de toi. Parle-moi de ta pension, des gens de la maison et raconte-moi ce que tu fais de tes journées. Comme ça, je pourrai t'imaginer dans ton cadre de vie, et ainsi, je me sentirai plus près de toi.

Si l'ennui devient trop fort, écris-moi, ça aide au moral et ton père ne pourra rien contre ça. Surtout, ne parle pas de ta grossesse, au cas où tes lettres tomberaient aux mains de tes frères et sœurs.

Prends bien soin de toi et essaie d'aller marcher chaque jour à l'extérieur. La marche est un bon exercice pour les femmes dans ton état.

Affectueusement.

Ta mère qui t'aime,

Héléna

Marianne replia les petites feuilles et se mit à pleurer à chaudes larmes.

La chatte miaulait. Dès qu'elle détectait des pas dans l'escalier, la petite bête allait attendre Denise et Jacqueline, les autres locataires, dans le vestibule.

Marianne entendit une porte claquer. Des pas approchaient, des voix, tour à tour graves et flûtées, bavardaient. Marianne ne s'arrêtait plus à ces bruits familiers. Chaque jour, à la même heure, Jacqueline et Denise se rendaient à leur chambre respective pour se rafraîchir et prendre un peu de repos avant le souper.

En passant devant la porte de Marianne, les filles entendirent des soupirs étouffés. Denise fit signe à Jacqueline de la laisser, puis elle frappa trois petits coups discrets à la porte de la chambre de la nouvelle locataire.

Comme elle ne recevait pas de réponse, elle se permit d'entrer en douceur.

Marianne, assise sur le côté de son lit, cachait sa figure dans ses mains.

— Qu'est-ce qui vous fait tant de peine, mademoiselle Marianne?

— Rien! C'est juste un peu d'ennui.

— Alors, rien de mieux que de vous laisser aller.

Denise s'assit près d'elle et entoura ses épaules de son bras, comme l'aurait fait sa mère.

— C'est pas surprenant, vous mettez pas le nez dehors de la journée, pis votre porte de chambre est toujours fermée.

Marianne essuya ses yeux et se moucha.

— C'est pour empêcher la chatte d'entrer, elle s'échappe un peu partout dans la maison.

— Vous pourriez sortir. Y a justement un redoux. À vous d'en profiter! Moé, je peux pas avec mon travail.

— Je connais pas la ville, je saurais pas où aller.

— J'ai vécu la même chose que vous y a quatre ans de ça. Pour me désennuyer, je montais dans un tramway, je me rendais au bout de la ligne pis je revenais, juste pour voir du monde. Dans le temps, j'étais enceinte d'un enfant pis mon chum m'avait abandonnée.

Marianne essuya ses yeux.

— Vous aussi?

— Qu'est-ce que vous croyez? Presque toutes les filles qui vivent en pension à Montréal sont des filles-mères. C'est impensable pour nous de retourner dans notre patelin sans nous faire montrer du doigt. On a deux choix:

soit donner notre enfant et retourner dans notre famille, soit garder notre enfant et se résigner à vivre à la ville. Mais avec le temps, on s'habitue, vous verrez. Au travail, on crée de nouveaux liens. Aujourd'hui, je voudrais pus retourner vivre à la campagne.

— Moé, je devrai rester à Montréal parce que je tiens à garder mon enfant. De toute façon, mon père m'a défendu de remettre les pieds à La Plaine.

— Vous attendez votre bébé dans combien de temps?

— Dans quatre mois.

— Après vos relevailles, vous pourriez appliquer chez Simpson et venir travailler avec moé au département de la literie ou ben avec Jacqueline à la lingerie pour dame. Y a de l'ouvrage en masse à Montréal.

— Et qui prendrait soin de mon bébé?

— Vous y trouverez une bonne famille.

— À Montréal, je connais personne.

— Je vous aiderai à trouver quelqu'un de fiable, comme j'ai trouvé pour mon petit Denis. Maintenant, y a trois ans et demi pis y se porte à merveille.

— Vous venez de quel coin?

— Moé, je viens de Saint-Lin et Jacqueline vient de Trois-Rivières.

— Saint-Lin, c'est pas loin de La Plaine; c'est presque chez nous, ça!

L'horloge sonna six heures.

— On nous attend à la table. Refaites-vous une figure convenable et venez souper.

Marianne obéit. Le motton dans sa gorge était passé et la glace avec Denise était rompue.

* * *

Dans la solitude de sa chambre, Marianne pensait à ce que lui avait dit Denise. Elle se demandait comment une mère pouvait laisser son enfant entre les mains d'une pure étrangère. Pourtant, elle aussi devrait bientôt penser à cette solution. Il lui faudrait travailler pour faire vivre son enfant, à moins que Théodore ne change d'idée et accepte de s'occuper de l'enfant. Pourquoi avait-il demandé son adresse? Que lui voulait-il au juste? Peut-être avait-il eu le temps de réfléchir? Elle se mit à espérer qu'il lui revienne. Et si Théodore se trouvait un travail à la ville? Il y avait des logements à louer rue Masson, pas loin de sa pension. Ce serait trop beau. Elle rêvait, c'était évident. Les Desrochers étaient fermiers de père en fils; ce métier était dans leurs fibres, dans leur sang. C'était impensable que Théodore les choisisse, elle et la ville.

Marianne sortit son encrier et sa plume et répondit à la missive de sa mère. Au bas de la lettre, elle ajouta: *N.B. S'il vous plaît, dites à mon oncle Gilbert de donner mon adresse à Théodore.*

Marianne s'endormit sur son rêve.

XIV

Chez les Branchaud, Héléna ne parlait plus de Marianne, mais son cœur de mère était constamment avec elle. Quand un des enfants s'éloigne du bercail, c'est celui qui devient le plus présent dans les pensées.

Avec Gustave, elle n'y faisait pas la moindre allusion. S'il voulait avoir des nouvelles de sa fille, il n'avait qu'à poser des questions.

Au souper, Marie-Noëlle s'informa auprès de sa mère de l'endroit où était sa sœur.

— Marianne travaille à Montréal chez un médecin dont la femme est en convalescence, mentit Héléna.

— L'an prochain, j'irai travailler à la ville, moé itou. J'ai hâte d'avoir de l'argent plein les poches.

— Toé, trancha Gustave, tu resteras icitte!

— Pourquoi Marianne a le droit pis pas moé?

Personne ne répondit.

Gilbert entra. Chaque fois qu'il arrivait, c'était comme si le soleil inondait toute la maison. Héléna lui remit la lettre de Marianne. Gilbert la glissa rapidement dans la poche de sa chemise, sans même la regarder. Héléna savait qu'il la lirait chez lui.

Gustave se leva, prit son chapeau et quitta la maison. De la fenêtre, Héléna le regarda prendre le chemin qui menait chez Champoux.

* * *

Théodore et Marianne correspondaient maintenant par lettres jusqu'à un certain dimanche de février où Théodore prit le train pour la ville. Marianne devait l'attendre à la gare Windsor.

Toute la nuit, un mal de ventre l'avait incommodée, mais elle mettait ce malaise sur le compte de la nervosité. Le lendemain, elle marchait d'un bon pas, elle courait presque, et un vent printanier entra par son manteau ouvert qui ne boutonnait plus. Elle allait et venait sur le quai de bois quand son mal s'intensifia. Elle s'assit sur un banc humide et, à chaque douleur, elle se plia légèrement, les mains sur son ventre, puis se recroquevilla en boule jusqu'à ce que le train entre en gare.

Le train siffla. Théodore allait être là dans la minute. Marianne se leva, les pieds froids, le cœur palpitant d'émotion, et s'approcha davantage des rails. Elle chercha Théodore des yeux parmi les voyageurs. Soudain, elle vit une tête dépasser les autres. C'était bien son Théodore. Marianne était folle de joie. Ils ne s'étaient pas vus depuis cinq interminables mois. Son cœur déchaîné se mit à sauter dans sa poitrine, mais aussitôt, une nouvelle contraction se manifesta.

La station de chemin de fer était un endroit de retrouvailles. Théodore embrassa Marianne sur la bouche, mais celle-ci dut le repousser à contrecœur. Ses contractions augmentèrent à un rythme effréné jusqu'à ce que les muscles de son visage se contractent et déforment son visage.

Marianne s'inquiétait. Que lui arrivait-il? Elle n'était que de sept mois et demi.

— Je me sens pas ben, dit-elle.

Théodore l'aida à entrer dans la gare qui, par chance, s'était vidée d'un coup avec le départ du train.

Au guichet de la gare, un homme aux grandes dents jaunes et à la casquette rigide quitta sa guérite pour s'occuper de la jeune femme, qu'il fit allonger sur un banc.

Marianne murmura:

— J'en peux pus, Théodore. On dirait que le bébé veut arriver avant son temps!

Marianne sentait la tête sur le point de sortir, mais la gêne l'empêchait de le dire.

— Patience, ma petite dame, je vais envoyer chercher un docteur. Il ne tardera pas. En attendant, votre mari va rester à vos côtés.

— Non, je suis son chum.

Marianne pensa: «Théodore, mon mari! Comme c'est dommage. J'aimerais tellement qu'il en soit ainsi.»

Théodore tenait la main de Marianne, qui tremblait de nervosité.

Le chef de gare envoya un garçon, qu'il nommait communément son «chefaillon», chercher le médecin.

— Fais vite avant que le docteur Lebrun ouvre son cabinet. Au retour, tu fileras chez moé demander à ma femme de venir immédiatement.

La femme du chef de gare arriva la première. Son mari la prit à part.

– On parle d'adopter un enfant? Je crois que c'est notre chance. La jeune femme que tu vois là est une fille-mère, pis je pense qu'elle va accoucher icitte. Va y parler.

– C'est pas le moment, elle souffre trop.

Marianne grimaçait et se plaignait.

– M'man! Je veux voir m'man. Elle m'a promis qu'elle viendrait.

Théodore demanda au chef de gare d'envoyer un télé-gramme à Gilbert Branchaud pour aviser Héléna que sa fille était en train d'accoucher à la gare Windsor.

* * *

Pendant que Marianne souffrait pour mettre son enfant au monde, à La Plaine, Gustave se préparait à monter au bois. Le temps des sucres approchait et il comptait sur l'aide d'Héléna pour laver les chaudières afin que tout soit prêt avant l'arrivée des cousins américains. Mais, à la toute dernière minute, Gilbert dérangea ses plans en venant chercher Héléna.

– Marianne est sur le point d'accoucher, dit-il, et elle réclame sa mère.

Héléna était si nerveuse qu'elle tremblait en dépo-sant des vêtements de bébé dans une valise et un sac de guenilles pour la période de menstruations qui suivrait l'accouchement de Marianne.

– Ne comptez pas sur mon aide, Gustave, à moins que vous remettiez ça. Je viens de recevoir un télégramme de Montréal. Marianne a besoin de moé là-bas.

– Restez icitte! trancha durement Gustave.

Héléna fit la sourde oreille. Sa fille avait besoin d'elle et rien ne pourrait l'arrêter. Elle comptait sur Marie-Noëlle pour s'occuper de la maisonnée pendant son absence.

– Je pars pour deux jours seulement.

Héléna se tourna vers Gustave.

– Gustave, avez-vous un message pour Marianne?

– Je vous défends de sortir de cette maison.

Héléna agit comme si elle n'avait pas entendu son interdiction. Elle s'adressa calmement aux enfants.

– Marie-Noëlle va s'occuper de vous autres. Je tiens à ce que vous lui obéissiez comme si c'était moé.

Héléna disparut à sa chambre, où elle brossa sa robe et peigna ses cheveux. Rien ni personne ne pourrait l'empêcher de courir au secours de sa fille. Elle ouvrit un tiroir et saisit sous une pile de vêtements un petit sac qui contenait un peu d'argent. Quand Gilbert revint, Gustave était retourné à l'étable. Héléna donna ses consignes à Marie-Noëlle:

– Surveille bien Juliette. Qu'elle ne sorte pas de la maison. Elle fait un peu de fièvre.

Gilbert attendait Héléna, la main sur la poignée de porte.

– Vite, Héléna, le train nous attendra pas.

Héléna se pressa de partir avant que son mari la retienne de force.

À peine était-elle montée dans le wagon, qu'un coup de sifflet déchira l'air. Dans le train, son billet de passage tremblait au bout de ses doigts.

— Si vous saviez, confia Héléna à Gilbert, comme ça m'inquiète de laisser les enfants avec leur père. Gustave est un dur.

— Avez-vous le choix quand, de son côté, Marianne vous réclame?

— Je sais ben. Si seulement je pouvais me séparer en deux!

* * *

Le train venait tout juste d'emporter Héléna vers la ville quand, à la maison, la petite Juliette fut prise de convulsions.

Gustave montait au bois et Marie-Noëlle énervée ne savait que faire. Comme sa mère dans ces moments urgents, elle envoya Marc prier monsieur Grenon d'aller chercher le docteur Coupal. Pendant l'attente, elle passa une serviette froide sur le front de Juliette.

À son arrivée, le médecin fit étendre l'enfant sur la table de cuisine. Il examina la gorge de Juliette à l'aide d'un abaisse-langue et rendit son verdict.

— C'est une amygdalite. Une forte fièvre a causé ses convulsions.

— Allez-vous y donner un remède pour pas qu'elle recommence? demanda Marie-Noëlle. Parce que moé, ça m'énerve des affaires de même.

— Je vais lui enlever les amygdales et tout va être réglé.

— Quand ça?

— Tout de suite et, tant qu'à y être, je vais opérer tous les enfants.

— Vous allez les endormir?

— Non, ce sera l'affaire d'un moment. Couchez-la sur la table de cuisine.

Il commença par Juliette.

— Tenez-la bien.

Le médecin ouvrit démesurément la mâchoire de Juliette, plongea l'abaisse-langue, enfonça rapidement une curette loin derrière le voile du palais, la remonta vers la base du crâne, agita, racla et gratta. Juliette hurlait. Le sang coulait. Suivirent des quintes et des haut-le-cœur. La fillette vomissait et crachait des débris ensanglantés arrachés à sa gorge.

De grosses larmes coulaient des yeux de Marie-Noëlle. C'était comme si on lui arrachait le cœur. Mais elle obéissait au médecin.

L'opération terminée, elle retroussa son tablier et en essuya son front et ses yeux. Elle prit Juliette contre elle pour la consoler.

— C'est fini… C'est fini, Juliette… C'est-y ben nécessaire ce que vous faites, docteur?

— Les amygdales ne servent à rien, répondit le docteur Coupal. Ça m'exemptera de revenir. Amenez-moi le suivant.

Marc et Louis, fous d'épouvante, disparurent par la porte arrière, mais Émile, resté dans la grande cuisine, tremblait de peur. Marie-Noëlle n'osait pas contredire le médecin.

— Ce serait pas moins cruel de les envoyer à l'hôpital?

— C'est l'affaire d'une minute. Allez m'en chercher un autre.

Marie-Noëlle obéit à contrecœur. À son tour, Émile laissa échapper des cris affreux.

Gustave entra. Il regarda Juliette gémir et cracher des débris. Il s'assit dans la berçante, alluma sa pipe et assista à l'opération d'Émile sans dire un mot. Marie-Noëlle, qui n'en pouvait plus, supplia :

— P'pa ! Faites quelque chose !

Émile se tortillait, battait des bras et des jambes pour qu'on le laisse s'échapper, mais c'était en vain. Lui aussi y passait, et son père ne disait mot.

Le médecin nettoya sa curette.

— Amenez-moi le suivant.

Marc et Louis étaient disparus.

— Y en a pus d'autres ! s'exclama Marie-Noëlle.

Le docteur Coupal demanda à laver ses instruments.

— Donnez-leur de la glace à manger.

Marie-Noëlle sortit briser des glaçons qui pendaient du toit.

Gustave sortit de sa poche un rouleau d'argent.

— Combien je vous dois, docteur ?

Marie-Noëlle restait plantée devant son père à le dévisager, à le juger, à faire la juste part des choses. Pourquoi n'était-il pas intervenu pour Émile ? Les enfants savent deviner les choses. Son père devait punir sa mère parce qu'elle avait fait fi de son ordre en se rendant à Montréal.

* * *

À Montréal, le médecin entra à pas pressés dans la gare, suivi d'une sage-femme. Il déposa sa trousse sur un banc et ordonna à Théodore :

— Vous, dit-il, sortez et empêchez les gens d'entrer. Toi aussi, le chefaillon, déguerpis. Et vous, madame, restez ici au cas où j'aurais besoin de vos services.

Les douleurs se succédaient aux deux minutes. Marianne hurlait comme un loup et ses cris s'étranglaient dans sa gorge.

Le médecin releva sa jupe.

— Ma petite dame, vous aurez pas le temps de vous rendre à l'hôpital.

La femme du chef s'avança.

— Docteur, si vous avez besoin de quelque chose, je demeure tout près d'icitte. Je peux même amener la jeune maman chez moé après son accouchement.

— Allez me chercher ce qu'il faut pour envelopper l'enfant, quelque chose d'assez chaud.

Marianne avait cessé net de crier. Elle poussait et poussait de toutes ses forces. Elle poussa jusqu'à ce que le bébé se présente.

À neuf heures de l'avant-midi, une petite fille vit le jour.

Marianne pleurait doucement. Elle ne savait pas si c'était de joie ou de faiblesse. Elle était inconfortablement couchée sur le bois dur d'un banc de gare, sans oreiller, sans personne des siens.

— Votre fille ne pèse que cinq livres.

— Je veux la voir.

— Un moment ! Il faut d'abord la couvrir.

– Enveloppez-la dans mon manteau.

– La sage-femme s'occupe de la nettoyer. Une dame charitable est allée chercher ce qu'il faut.

– Où est Théodore?

– Il arrive, votre Théodore, lui dit le médecin d'une voix triomphante, heureux, comme à chaque nouvelle naissance.

Théodore prit la main de Marianne et lui chuchota à l'oreille:

– Je t'entendais crier de dehors. Ça faisait-tu si mal que ça?

– Oui, mais là, c'est fini. Nous avons une belle fille. Es-tu content?

– Ben sûr, que je suis content! Pis je suis ben curieux de voir à quoi ressemble la chose que j'ai fabriquée sous le gros saule pleureur.

Marianne souriait maintenant. Il n'y avait pas de bonheur plus grand, plus merveilleux, que de donner la vie.

– Tu peux ben rire. Moé, j'étais inquiet pour toé. Je pensais que t'étais en train de mourir.

Le médecin déposa le bébé sur le sein de la jeune maman.

– Voici votre fille! Félicitations!

La sage-femme couvrit l'enfant du gilet de Marianne. Celle-ci se tourna légèrement sur le côté pour mieux voir le visage de sa fille. L'enfant avait une petite figure ronde et rose, encadrée d'un duvet blond, deux fentes à la place des yeux et une bouche capricieuse sur le point de faire la moue.

– Je l'aime déjà comme c'est pas possible. Regarde, Théodore, comme elle est belle.

– Finalement, j'ai pas mal réussi.

– Tu l'embrasses pas?

– Avant, j'ai besoin de voir qui je vais embrasser. Je m'étais pourtant promis que jamais j'embrasserais une autre fille que toé.

Assis près de Marianne, Théodore caressait la menotte aux doigts délicats. Une certaine émotion commençait à le gagner et il se mit à parler pour ne pas pleurer.

– Rendus à ta pension, je te ferai part de mes projets.

– Ça me regarde?

– Ça nous regarde.

Marianne lui adressa son plus charmant sourire.

La femme du chef de gare arriva en trombe avec une couverture et des langes. Elle avait coupé un drap en huit pour en faire des couches, en attendant mieux.

– Vous, jeune homme, poussez-vous.

Théodore refusa de bouger. De quel droit cette étrangère lui donnait-elle des ordres comme à un gamin? Un père doit quand même avoir droit à certaines faveurs, comme celle de regarder son enfant. Il étira le cou vers la nouveau-née.

La petite était calme, comme si elle se sentait en sécurité dans les bras de sa mère, et Marianne ne cessait de la regarder et d'embrasser son petit front étroit.

Théodore, qui ne connaissait rien aux maternités, proposa:

– Asteure, on va prendre le tramway pour retourner à ta pension.

Le médecin intervint aussitôt :

– Je ne vous le conseille pas, jeune homme. Voulez-vous la faire mourir ? Le fait de se faire brasser dans un tramway exposerait la mère aux hémorragies.

Marianne, inquiète, s'appuya sur un coude.

– Je vais pas être obligée de passer dix jours icitte, dans une gare ?

Le médecin retira le coude de la jeune maman d'une main tandis que, de l'autre, il pesa sur son épaule.

– Je vous ai dit de rester allongée, ma petite dame.

Il s'adressa ensuite à Théodore.

– Vous pouvez demander une ambulance qui la conduira à l'hôpital Saint-Luc. Là-bas, ils prendront soin de la mère et de l'enfant pendant quelques jours.

– Non, Théodore, je veux pas aller à l'hôpital asteure que mon bébé est né.

Madame Desmarais s'approcha du médecin.

– Comment va l'enfant ?

– Bien ! Elle est toute petite, mais elle a tous ses morceaux.

Madame Desmarais jetait un regard intéressé sur le bébé.

– Elle est adorable.

Elle enviait la jeune maman. Elle aurait aimé lui prendre l'enfant des bras et la faire sienne, mais la jeune mère avait la fibre maternelle, c'était évident. Elle ne quittait pas sa fille des yeux.

– Je suis madame Desmarais, la femme du chef de gare. Je vois que vous avez accouché dans des conditions plutôt précaires, du moins, sans confort. Si vous le désirez, je peux vous prendre chez moi le temps de vous remettre sur pied. Je demeure tout près d'icitte.

— Merci pour tout ce que vous avez fait pour moé, madame, mais je peux pas accepter votre offre. Ma mère s'en vient me chercher par le prochain train et elle me ramènera à ma pension.

— Que comptez-vous faire de votre enfant?

— Je comprends pas.

— Avez-vous songé à le donner en adoption?

— Ah ça, non! Je pourrais jamais!

— Si un jour vous changiez d'idée, faites-le moé savoir. Mon mari pis moé, on peut pas avoir d'enfants et on aimerait en adopter un.

Théodore, témoin de leur conversation, se demandait bien ce que Marianne allait décider. Il se sentait exclu. Pourtant, il était le père et il s'était déplacé pour trouver une solution.

Marianne ne répondit pas. L'étrangère ajouta:

— Je vais attendre votre mère avec vous.

Marianne craignit que la femme tente d'influencer sa mère et que celle-ci insiste pour qu'elle donne son enfant. Elle l'évita du regard. Elle n'aimait pas l'attitude de cette femme qu'elle trouvait trop intéressée et qui regardait son bébé comme s'il était le sien. Marianne tourna la tête du bébé de manière à cacher sa petite figure. «Jamais je ne te laisserai, même pas pour tout l'or du monde», se dit-elle.

Les gens entraient à pleine porte dans la gare. Le prochain train devait être sur le point d'arriver.

Le regard de Marianne se posa sur Théodore.

– Je veux donner un nom de reine à ma fille. J'ai choisi Victoria !

– Victoria Desrochers ! C'est un peu long, mais ça sonne assez bien.

– Desrochers ? T'as ben dit Desrochers ? Ça veux-tu dire que t'acceptes d'y donner ton nom ?

– Je t'en reparlerai une fois rendus à ta pension, si seulement on est plus tranquilles là-bas.

Il chuchota à son oreille :

– Icitte, y a trop de va-et-vient pour jaser à l'aise.

Un train entra à la station dans un bruit d'enfer – à croire qu'il allait démolir la gare. Le bébé se mit à hurler de terreur. Marianne serra sa fille contre elle pour apaiser sa peur et, dans les minutes qui suivirent, la petite retrouva son calme.

L'arrivée massive des voyageurs attira l'attention de Marianne, qui cherchait sa mère des yeux parmi la foule. Mais pourquoi, bon sang, ne la voyait-elle pas ? Son père l'avait-il empêchée de partir ?

* * *

Sitôt arrivé à Montréal, Gilbert sauta du train et fila directement chez son frère Rosaire. Sur le quai de bois restait Héléna. La femme entra dans la gare une valise à la main et se faufila vers le banc où gisait Marianne, toute délicate, toute pâle. Sa fille semblait être le point d'attraction des voyageurs attroupés à petite distance de la jeune maman. Ces gens jasaient tout bas. Ils reculèrent de quelques pas pour laisser s'approcher la mère.

Même en retrait, les regards restaient accrochés à la scène émouvante. Déjà, les gens flairaient, soupçonnaient, potinaient.

Héléna embrassa Marianne.

— Ma pauvre petite fille ! Tu m'as fait toute une surprise.

Puis, elle se tourna vers Théodore.

— Partons d'icitte tout de suite. Théodore, auriez-vous l'obligeance de demander un taxi ?

Le garçon exécuta un rapide aller-retour.

— Le taxi partait pour une petite course. Le chauffeur a dit qu'y serait là dans moins de quinze minutes.

Madame Desmarais s'approcha de Marianne :

— Mademoiselle, j'aimerais avoir votre adresse.

Héléna vit Marianne hésiter. Son visage pâle passa de la joie à la déception. Elle s'interposa :

— Non, Marianne. T'as pas à donner ton adresse à qui que ce soit.

— Qui êtes-vous ? demanda l'étrangère. Sans doute une proche parente ?

— Je suis sa mère.

— Moé, je suis la femme du chef de gare. C'est moé qui ai fourni la couverture pis les couches à l'enfant. Comme votre fille était dans le besoin…

— Merci pour tout, madame ! Qu'est-ce que je peux faire de plus pour vous remercier ?

La femme recula d'un pas, la bouche pincée.

— Je veux ma couverture.

— Un moment, madame.

Héléna traînait avec elle une malle contenant des vêtements de bébé qui ne lui étaient plus utiles, mais qu'elle avait toujours gardés précieusement. Elle prit l'enfant des bras de Marianne, approcha une chaise de la fournaise à charbon et y coucha sa petite-fille. Elle s'agenouilla sur le plancher sale de boue, de crachats et de mégots de cigarettes, et revêtit l'enfant de la belle robe blanche tricotée de ses mains, celle que Marianne avait portée à son baptême. Elle recouvrit l'enfant d'un bonnet et d'un gilet en organsin et, tout en l'habillant, elle caressa de la main les belles joues roses du bébé. Elle l'aimait déjà, elle en était maboule. Elle avait le goût de la chouchouter et elle déplorait cette situation embarrassante qui tenait Marianne éloignée de la maison. Héléna regarda sa petite-fille d'un air adorateur. Ce bébé, dans ses vêtements en laine fine, lui rappelait ses propres enfants. Elle enveloppa la nouveau-née dans une couverture légère et la recouvrit de son manteau.

À chaque geste, comme un rituel, elle embrassa l'enfant. Héléna avait toujours entretenu une affection spéciale pour les nouveau-nés aux délicates odeurs d'ange. La petite, toute molle, se laissait aimer comme si tout l'amour du monde lui était dû.

Elle tendit la couverture à l'étrangère.

– Tenez, madame! Reprenez votre butin. Y reste encore la couche que porte le bébé, je la rapporterai au chef de gare à mon retour.

Tout en parlant, Héléna enveloppait l'enfant dans son manteau.

Marianne gronda sa mère.

— M'man, vous allez pas sortir en robe en plein hiver ? Des plans pour attraper votre coup de mort !

— C'est le bébé qui est le plus important. Moé, je suis réchappée.

Théodore s'en voulait de ne pas avoir agi plus rapidement. C'était à lui de s'occuper de son enfant. À son tour, il enleva son paletot et en couvrit les épaules d'Héléna.

— Prenez ça, madame Branchaud. Moé, j'ai une bonne veste de laine qui me suffira.

* * *

Ils étaient quatre à monter dans le taxi qui les conduirait à la pension. On fit allonger Marianne sur la banquette arrière, puis Héléna et Théodore s'engouffrèrent sur la banquette avant.

— Je garde ta fille, Marianne, dit Héléna. Bientôt, t'auras tout ton temps pour la prendre, tandis que, moé, je m'en ennuierai sans bon sens.

Marianne s'informa des siens.

— Comment ça va à la maison ?

Héléna baissa le ton.

— Comme ça peut aller quand il nous manque une enfant. Marie-Noëlle parle souvent de toé. Je pense qu'elle s'ennuie ben gros depuis ton départ.

— Allez-vous y dire qu'elle est devenue tante ?

— Non, Marianne ! Y faut jamais dire un secret, même à la fille la plus sage. Tu vas devoir garder un silence formel là-dessus toute ta vie. Surtout, va pas t'échapper, tu ferais du tort à ta fille et les grandes langues te feraient une mauvaise réputation. Tu sais comme les bruits courent dans les petites paroisses? Même ta tante Agathe n'en sait rien.

— Pis p'pa?

— Ton père a toujours mal au ventre, mais c'est pas ça qui va l'arrêter. Y travaille toujours d'un fanal à l'autre comme un forcené.

— Y parles-tu de moé des fois?

— Y s'entête dans son idée. Tiens, avant que j'oublie, ton oncle Gilbert t'envoie ça. Y dit que t'en auras besoin.

Héléna lui tendit une boîte enrubannée. Marianne l'entrouvrit, y jeta un œil et la referma aussitôt avec un sourire de satisfaction.

— Oh! Pas possible! Un beau châle frangé tout doux, qui va servir pour le baptême. Pis comme si c'était pas assez, mon oncle a ajouté un beau deux dollars.

— Ton oncle l'a fait acheter par ta tante Cordélia au magasin général.

— Vous y direz un gros merci de ma part en attendant que je le voie.

— Tu vas le voir tantôt. Y est à Montréal, lui aussi. Nous sommes venus par le même train. En arrivant, en parlant de ton accouchement, y m'a dit: «Moé, je veux pas voir ça», pis y a filé directement chez son frère Rosaire.

— Son argent va servir à acheter quelques vêtements, mais avant de dépenser, je vais regarder ceux que vous m'avez apportés.

— Au fait, je les ai tous lavés, comme ça t'auras pas à le faire. T'auras aussi besoin de couches en flanelle de coton.

Celles de ta sœur Alice ont pris le chemin des guenilles depuis belle lurette.

— Ça m'en prendra combien?

— Avec deux douzaines, tu devrais être capable de t'arranger, mais trois douzaines seraient pas de trop.

* * *

Le taxi s'arrêta rue Masson. En voyant sa mère ouvrir sa bourse, Marianne offrit de régler la note avec le cadeau de Gilbert, mais sa mère tapota sa main.

— Garde ton argent. C'est à ton père de payer pour sa fille.

— Je vous cause ben des dépenses, déjà que vous avez dû payer votre billet de train.

Théodore, mal à l'aise, enregistra toutes ces dépenses dans sa tête.

Dans l'escalier qui menait au troisième, Théodore soutint Marianne d'une main et porta la malle d'Héléna de l'autre; Héléna suivit avec le bébé dans les bras. Arrivée à la chambre, Héléna déposa l'enfant sur le lit et se mit en frais de changer ses petits vêtements — elle désirait garder intacte la robe en tricot blanc qui devrait servir au baptême.

— Vous, Théodore, allez au presbytère de Sainte-Philomène demander le baptême pour demain, et dites-leur que le curé Rosaire Branchaud sera l'officiant.

— Je connais rien de la ville, moé, à part le trajet de la gare à icitte.

— C'est sur Masson, à deux coins de rue d'icitte. Ça se fait à pied. On vient juste de passer devant l'église.

— Qui sera parrain et marraine?

— Gilbert pis moé. Marianne a pas d'autres choix.

— Et les noms du bébé?

— Allez, allez, nous en reparlerons demain, avant le baptême.

* * *

Théodore quitta joyeusement la maison. De la chambre, Marianne l'entendait siffler et trottiner dans l'escalier.

Héléna tenait à bout de bras une belle robe de nuit rose, brodée d'un rucher au cou et aux poignets.

— Tiens, dit-elle, c'est ta grand-mère qui te l'envoie. Elle l'a faite de ses mains.

— Comme je suis gâtée!

— Marianne, profite du temps que nous sommes seules pour enfiler ta jaquette et prends le lit immédiatement. Tu dois pas te lever avant dix jours. Je vais changer la petite de couche et je la ramènerai pour sa tétée.

On frappa à la porte. Héléna ouvrit. Marianne fit les présentations.

— M'man, c'est madame Philibert, ma maîtresse de pension.

Héléna tendit une main chaleureuse.

La femme regarda Marianne avec des yeux grands comme des piastres.

— Vous nous en faites toute une surprise!

Marianne raconta sa sortie qui s'était terminée par un accouchement.

— Montrez-moé cette petite merveille.

Marianne était pâle, mais le bonheur illuminait sa figure. Sa bouche et ses yeux riaient.

— C'est une fille.

— Félicitations, mademoiselle Marianne. La petite est belle comme sa mère.

— Moé, reprit Héléna, je lui vois du Desrochers. Regardez la forme de son visage et ses yeux fendus en amande.

Avant de se retirer, la logeuse insista :

— Je vous invite tous à souper pour demain, ce sera mon cadeau de baptême.

— Vous êtes ben aimable, mais, comme nous serons quatre personnes à part Marianne, ce serait pas abuser de vos bontés ?

— Si vous êtes pas trop pressés, je servirai mes pensionnaires d'abord, pis après, j'aurai tout le reste du temps à vous consacrer. Pis là, gênez-vous pas pour vous servir du salon.

Héléna se tourna vers Marianne et vit le plus beau spectacle encore jamais vu : une jolie maman qui nourrissait son enfant, et cette maman était sa fille.

— Pendant que tu la nourris, je vais aller jaser un peu avec ta logeuse.

— M'man, je peux-tu vous demander de me laisser un moment seule avec Théodore, tantôt ? Y voulait me parler, mais ça le gênait trop devant vous autres. On a ben des choses à mettre au point.

— Ça va, mais laisse ta porte de chambre ouverte. Si t'as besoin de moé, je serai pas loin.

Héléna s'en fut retrouver la logeuse à la cuisine.

— Il faudrait prendre un arrangement pour la pension, dit-elle. Marianne va avoir besoin d'aide. Il vous faudra lui servir ses repas à la chambre et lui apporter le nécessaire pour sa toilette et celle du bébé. Il y a aussi le lavage de couches qui devient un problème.

— Mademoiselle Marianne aurait pas une sœur qui pourrait venir l'aider pour le temps des relevailles? Comme elle a un lit double, je lui chargerais seulement sa nourriture.

— Marianne a effectivement une sœur d'un an sa cadette, mais c'est un peu délicat. Elle a son école pis elle sait rien de cette naissance.

— Et si vous la mettiez dans le secret?

— Marie-Noëlle est ben trop jeune pour être mise au courant de ces choses. Vous voyez ce que je veux dire? Laissez-moé jusqu'à demain pour réfléchir à tout ça.

Héléna voulait se donner du temps. Gustave n'accepterait jamais de laisser partir Marie-Noëlle. Son mari n'était pas présent pour ses enfants, mais, quand il s'agissait de les contrôler, il était là pour contredire et dominer. Elle en parlerait à Gilbert. Peut-être saurait-il être de bon conseil.

* * *

Théodore frappa doucement à la porte de la chambre et entra sur la pointe des pieds. Il chuchota:

— C'est moé, Théodore. Je peux entrer?

— Enfin, toé!

— Ta mère vient de me dire que tu dormais.

— Non, je t'attendais pis j'avais assez hâte que tu reviennes.

— Y a jamais moyen de se voir seuls.

— Viens t'asseoir à côté de moé, dit Marianne.

— Presque cinq mois sans nous voir, dit Théodore. Y penses-tu? Moé, je peux pas vivre plus longtemps sans toé.

Théodore profita du temps où personne ne les voyait pour embrasser Marianne sur la bouche.

— Le baptême est pour demain, à deux heures. Je vais prendre le reste de la journée pour me trouver un emploi à Montréal.

— À Montréal? J'espère que tu resteras pas trop loin d'icitte, qu'on se voie de temps en temps.

Tout lui arrivait comme un cadeau du ciel. Ce 28 février était vraiment le plus beau jour de sa vie. Marianne oubliait ses malheurs passés.

— Je veux prendre mes responsabilités de père, et pis, si tu veux, dépendant de mon travail, nous nous marierons dès que possible.

Marianne saisit son bras à deux mains et répéta, émue:

— Si je le veux! Toé pis moé, Théodore! Je le crois pas.

Des larmes de bonheur mouillaient ses yeux.

Théodore, lui-même ému, retenait mal son trouble.

— Tu vas pas me faire brailler, moé itou?

— Je t'aime tant, Théodore!

— Ensuite, je vais essayer de trouver un logis proche de mon travail.

— On dit qu'y a de la demande en masse à Montréal.

— Je suis prêt à accepter n'importe quoi. Quand on a la santé, deux bons bras pis un peu de cœur au ventre, on peut venir à bout de tout.

— Je le crois pas encore. Je vais pouvoir recommencer à rêver.

— En attendant, prends ben soin de toé pis de la petite.

Théodore souleva sa fille. Elle était si menue qu'elle tenait dans ses mains ouvertes.

— Je sais que tu vas être un bon papa. Si je te compare à mon père, lui, y prenait jamais ses enfants dans ses bras. C'est un dur. T'as remarqué dans le taxi, quand j'ai demandé à m'man si p'pa parlait de moé des fois ? M'man a changé de propos ben raide.

* * *

Le même jour, Gilbert, Héléna et Théodore se retrouvèrent au presbytère, où ils étaient toujours les bienvenus. Au souper, les Branchaud jasèrent de tout et de rien, mais, dès que la servante s'éloignait, le cas de Marianne revenait sur le tapis. On cherchait une personne qui prendrait soin de la nouvelle maman. Gilbert proposa Josette Lafleur, la meilleure amie de Marianne, mais Héléna trancha net :

— Non, pas elle.

Héléna n'avait pas à en dire davantage, Gilbert comprenait la raison.

Théodore, au cœur des discussions, écoutait la famille de Marianne chercher des solutions sans lui demander son avis, comme s'il n'était pas impliqué dans cette histoire.

Pourtant, à chaque problème qui surgissait et à chaque dépense qui s'ajoutait, il se sentait attaqué, coupable, traqué. Par chance, on ne lui en tenait pas rigueur. On devait savoir qu'il ne possédait pas un sou pour pouvoir faire face à ses responsabilités.

Mais cette fois, il intervint :

— Y aurait peut-être ma sœur Huguette. À dix-huit ans, y a rien qui la retient à la maison, surtout en hiver, le temps est mort sur la ferme. Je sais que Marianne pis elle s'entendaient ben toutes les deux.

Héléna, assise en face du garçon, posa son regard doux sur lui.

— Si votre sœur acceptait, ce serait la meilleure solution.

— Demain, quand je retournerai à la maison, j'y demanderai.

— Vous dites demain ? C'est tout de suite que Marianne en aurait besoin. Aujourd'hui, j'ai apporté les couches à laver au presbytère. C'est pas l'endroit idéal. L'abbé Rosaire a assez de nous loger sans qu'on ambitionne sur sa générosité.

Gilbert proposa à Théodore d'envoyer un télégramme à sa sœur Huguette.

— Dites-y de venir au plus tôt, je vais me charger des frais de train. Le prix du billet est de soixante-quinze sous pour un aller-retour. Voici un dollar. Arrangez-vous avec ça.

Gilbert déposa l'argent devant l'assiette de Théodore, qui se sentait mal à l'aise d'accepter, encore une fois, sa charité. Les Branchaud ne cessaient de dépenser pour ses fredaines.

— Dès que je me trouve un job à Montréal, Marianne pis moé, on va se marier.

Un silence passa. Héléna resta la fourchette en l'air.

— Ça, c'est une bonne nouvelle, Théodore!

— Un petit mariage, ben sûr, Marianne, moé pis deux témoins. Je pourrai pas me payer plus de luxe.

L'abbé Rosaire avait promis de l'aider à trouver un travail, dans sa paroisse si possible.

— Il y a quelque temps, la biscuiterie Viau affichait une demande d'emploi. Vous pourriez postuler à cet endroit. J'aimerais bien vous compter parmi mes paroissiens. Au besoin, je vous donnerai une lettre de référence. En attendant, vous pourrez profiter de mon hospitalité et passer quelques jours à Montréal.

— Savez-vous si les salaires sont intéressants?

— Vous me voyez complètement ignorant sur le sujet.

Gilbert ne lui laissa pas le temps de finir sa phrase. Il dit:

— Si c'est une petite mine d'or que tu cherches, tu ferais mieux de te tourner vers le Colorado. T'es jeune, t'es en pleine santé pis t'es travaillant; t'as tout ce qu'y faut pour être un bon prospecteur minier.

Tout le monde savait que Gilbert était revenu riche du Colorado.

Théodore cacha son intérêt sous un regard indifférent, mais, intérieurement, il pensa: « C'est intéressant. Y faudra qu'on s'en reparle. »

— J'y réfléchirai, dit-il.

Héléna, sur le bord des larmes, s'écria:

– De grâce, Gilbert, n'allez pas l'encourager à s'exiler au bout du monde. Ma fille demeure assez loin des siens comme c'est là. Et pis, c'est pas la richesse qui rend les gens heureux. Y est bon que les jeunes commencent leur vie avec presque rien. Ça leur apprend à estimer chaque pas en avant qui les mène lentement à la réussite.

Théodore n'ajouta rien devant les hôtes, mais, déjà, le mal de partir au loin le travaillait. Il en parlerait d'abord en privé avec Gilbert pour savoir si les femmes étaient acceptées dans ces centres miniers. Ensuite seulement, il en causerait avec Marianne. Si celle-ci s'emballait autant que lui, à deux, ils étudieraient la question et la retourneraient sous tous ses angles. Ça prendrait des sous, mais si Gilbert Branchaud y était arrivé, pourquoi eux n'y arriveraient pas?

***

Le premier soir, Marianne regarda sa fille le regard chargé de tendresse maternelle. Ses pensées allaient vers les siens, restés à la maison. Son père, ses frères et ses sœurs ne connaîtraient jamais son bébé. C'était la punition à subir pour son inconduite, et elle souffrait de ne pas pouvoir partager avec eux cette joie exubérante qui la soulevait. «Quel dommage! se dit-elle. Victoria est belle à croquer! Si seulement p'pa voulait mettre un peu du sien, il profiterait des belles sorties dans sa famille, comme mon oncle Gilbert qui prend un grand plaisir à fréquenter ses frères.» Marianne savait que ce serait pour rien, que son père était inébranlable dans ses décisions.

Elle se dit pourtant : « Si je lui écrivais et que je lui disais ce que je pense réellement de lui comme père ? Et si les écrits étaient plus puissants que les paroles ? » Elle n'avait rien à perdre. Elle ressassa les souvenirs qui la rattachaient à lui. Ils n'étaient tous que colères, fessées, regards durs. Et son cœur, enclin à la tendresse, vira à l'amertume.

Elle sortit son nécessaire à écrire et, le doigt contre la tempe, elle laissa courir sa plume.

Cher papa,

Aujourd'hui, je sens le besoin de vous écrire, un peu pour vous faire partager ma joie d'être maman, mais surtout pour vous dire que vous avez été pour moi un père merveilleux, un père attentif à tous mes besoins, un père aimant, tolérant, qui savait me pardonner mes erreurs, petites ou énormes. Vous saviez rire et vous amuser avec vos enfants. Vous trouviez toujours l'argent nécessaire pour nous acheter les plus beaux vêtements. Jamais un mot plus haut que l'autre. Vous mettiez de la joie dans la maison.

Josette m'enviait d'avoir un père aussi bon et généreux…

Malheureusement, la réalité est tout autre.

J'aurais tant aimé, papa, que toutes les faussetés que je vous ai écrites plus haut soient vraies.

Là, vous auriez été un vrai père !

Marianne

* * *

Le lendemain matin, le train fonça à travers les laideurs de la ville, qui était beaucoup plus grande que l'idée qu'Huguette s'en était faite. Il était huit heures et la jeune fille en était à son premier voyage à Montréal.

Lorsque Théodore entra dans la gare, Huguette était déjà là qui faisait les cent pas, le front soucieux.

— Tu m'avais dit que tu serais icitte avant moé, dit-elle, en retenant une moue boudeuse.

— La ville, c'est pas la campagne. On perd souvent du temps à attendre les tramways.

— C'est loin en titi. On arrivait pus.

— Viens! dit-il. T'as mis tes bottes? Y a pus de neige par icitte.

— Par chez nous, y en a encore.

— Tu vas faire rire de toé.

— Je me fiche ben des gens de la ville, moé! Par chez nous, y a de la neige, pis par icitte, les rues sont pleines de saletés.

— Marianne a ben hâte de te voir pis de te montrer notre fille. Tu vas voir, elle est belle comme sa mère.

Sur la rue fréquentée par un flot de passants, Huguette restait les yeux accrochés aux vitrines, sans égard pour les piétons et sans regarder où elle posait les pieds. Une bonne femme, qui marchait très vite, la projeta sur un homme pour se frayer un passage, sans la regarder, sans même s'excuser.

Théodore l'entraînait vers la gauche où un tramway était sur le point de s'arrêter.

— Vite, monte! dit-il.

— T'es donc ben pressé! J'ai de la misère à te suivre.

Une fois assis, Théodore reprit la conversation.

– Je te dis que notre Victoria, c'est pas une braillarde. Quand elle se réveille, c'est pour ses boires, pis, même là, elle grogne tout bas. Heureusement, parce que si elle réveillait les pensionnaires, la maîtresse de pension les garderait pas, Marianne pis elle. Tiens, c'est icitte. Viens, descends vite. Attention ! À droite.

– Coudonc ! Le monde court-tu tout le temps de même en ville ? Y vont ben virer fous.

Théodore, la tête ailleurs, ne l'entendait pas.

– Marianne pis toé, dit-il, vous allez devoir coucher dans le même lit, mais c'est seulement pour dix jours.

– M'man est gênée de te le dire, lui confia Huguette, mais elle a ben hâte de voir sa petite-fille. Elle a dit que si c'était pas de laisser la maisonnée, elle serait venue elle itou.

Théodore avait l'esprit ailleurs.

– Je dois m'arrêter une minute à la biscuiterie Viau. Il y a peut-être un emploi pour moé. Attends-moé dans l'entrée.

* * *

Dans le train qui les ramenait à La Plaine, Gilbert et Héléna étaient assis côte à côte. Héléna somnolait, la tête appuyée sur la vitre, quand les pas du poinçonneur la réveillèrent. Elle regarda les mains de Gilbert reposer sur sa petite malle, à quelques pouces seulement de son genou. Et si elle osait avancer la sienne, le toucher ? Son désir devenait de plus en plus violent. Le roulement du train l'invitait au sommeil. Héléna ferma les yeux afin de mieux imaginer Gilbert touchant son genou. Elle se redressa en sursaut. Avait-elle rêvé? Avait-elle souri? Gilbert éprouvait-il des sentiments pour elle?

— Je suis contente que vous m'accompagniez, dit-elle. Ce devrait pourtant être à Gustave de s'occuper de sa fille, dit-elle, morose.

— Comme je vois, dit Gilbert, votre vie, c'est pas le paradis. Je suis pas aveugle. Gustave a toujours été dur avec son entourage, mais avec sa femme et ses enfants, ça dépasse tout entendement. Je vous ai déjà entendue y demander de l'argent pour vous acheter une robe. Je vous ai déjà dit où je cache mon argent, Héléna. Servez-vous, prenez tout ce qu'y vous faut pour vous et les enfants.

Héléna refusait par considération pour son mari.

— Vous l'aimez? demanda-t-il.

— Disons que je le respecte. Il est le père de mes enfants. C'est un homme fidèle et travaillant.

— Fidèle à qui? À lui-même?

Héléna ne répondit pas.

— Et il vous respecte comme vous le méritez?

Héléna se laissa aller à certaines confidences.

— Ne le répétez à personne, Gilbert, mais si vous n'aviez pas été là, je me demande si j'aurais pu tenir le coup. Gustave a toujours refusé de sortir, tout comme il me défend de fréquenter mes voisines. C'était intenable pour moé qui aime la vie en société! Jamais un mot aimable, jamais un sourire. J'existe pas pour lui. Je suis pas plus qu'une servante à ses yeux. C'est une bonne chose pour moé que vous soyez revenu au pays. Vous mettez de la gaieté dans notre quotidien, autant pour moé que pour les enfants, qui vous adorent. Vous savez regarder, écouter, parler et aussi vous taire quand y le faut. Vous êtes un modèle masculin pour eux. Je me demande ce qui serait arrivé à Marianne si vous aviez pas été là, vous pis Cordélia.

— Gustave est chanceux d'avoir une femme aussi bonne, pis c'est ben dommage qu'y sache pas vous apprécier.

Héléna baissa les yeux sur ses mains.

— Gustave est incapable d'aimer. Si vous saviez comme j'ai essayé de l'attendrir à nos débuts. Mais c'était peine perdue, tous mes efforts se sont retournés contre moi ; il m'a toujours méprisée. Avec le temps, je me suis résignée à vivre dans le silence, à l'ignorer.

— Arriverez-vous à tenir le coup ?

— J'ai porté ma croix jusqu'ici, pis je la porterai encore le temps que Dieu voudra. J'ai toujours mes enfants pour m'aider à continuer. Pis, y a vous, qui êtes là pour égayer notre vie, mais je sais pas pour combien de temps.

— Pourquoi dites-vous ça ?

— Parce que vous avez votre vie à vivre. Un jour, vous rencontrerez l'âme sœur et vous partirez.

Gilbert la regarda intensément.

— Je partirai pas. Je veillerai sur votre petite famille.

— Vous avez pas le droit de penser ainsi. Vous ne devez pas gâcher votre vie pour la famille de votre frère.

— Je gâche rien. Aujourd'hui, j'agis avec votre fille au même titre que si elle était la mienne.

Le regard d'Héléna se perdait dans les grands champs. Les poteaux de fils télégraphiques défilaient à la fenêtre sans qu'elle les voie à cause d'un brouillard qui voilait sa vue.

– Un jour, y partiront tous, les uns après les autres, pis je me retrouverai de nouveau seule avec leur père. Le décompte est déjà commencé avec le départ de Marianne. J'essaie de pas trop y penser.

Gilbert posa sa main sur celle d'Héléna, comme on le fait avec un enfant qu'on console. Ce geste n'était pas de l'amour. Héléna ne la repoussa pas. Elle lui avoua :

– Je me demande ce qui m'a pris de vous raconter tout ça. Peut-être le besoin de vous dire ma reconnaissance parce que vous avez été là, toujours présent à tous nos besoins.

Gilbert serra sa main, puis la retira.

En descendant du train, Héléna traversa le chemin, fit un faux pas et tomba assise dans le fossé, les fesses dans l'eau froide. Gilbert, voyant sa robe mouillée, ne put s'empêcher de rire.

– Gustave va s'imaginer autre chose, dit-il.

Héléna tordait le bas de sa robe et, dès que leurs regards se rencontraient, ils se remettaient à rire comme des gamins, jusqu'à en avoir les larmes aux yeux.

* * *

Héléna revint chez elle satisfaite de son petit séjour à Montréal et ravie d'avoir connu sa petite-fille. Maintenant, elle éprouvait le besoin de retrouver ses enfants.

Comme Gilbert et elle entraient dans la maison, Gustave sortit, laissant une enveloppe sur la table.

Juliette lui laissa à peine le temps d'entrer qu'elle se rua sur sa mère.

— Quand vous étiez pas là, m'man, le docteur nous a opéré la bouche.

Héléna jeta un regard insistant à Marie-Noëlle, qui, mal à l'aise, ne disait mot.

— Quoi ? Qu'est-ce qu'elle dit, Marie-Noëlle ?

— Moé, m'man, je l'haïs, le docteur, ajouta Émile. Je me sus caché dans la penderie, mais Marie-Noëlle m'a attrapé pis y m'a opéré, moé itou. Ça me brûle encore la gorge.

— Qu'est-ce qu'y racontent là, Marie-Noëlle ?

L'adolescente ravala. Elle rapporta les faits dans le détail.

— Une vraie boucherie, m'man ! Si vous aviez vu ça, les mêmes cris que quand p'pa égorge le cochon. Mais vu que c'était le médecin qui décidait, j'ai pas osé y tenir tête.

— Pis ton père l'a laissé faire ?

— Oui ! Enfin, comme moé. Je regrette de pas l'avoir arrêté. Mais Marc pis Louis s'en sont sauvés. Y sont allés se cacher aux bâtiments.

— Ça me fait mal au ventre d'entendre ça.

Héléna était terriblement déçue. Elle ne pouvait donc jamais laisser la maison sans qu'un malheur arrive aux siens ?

C'est à Gustave qu'Héléna en voulait davantage, Marie-Noëlle n'était qu'une adolescente.

— À l'avenir, Marie-Noëlle, quand tu me remplaceras, agis au même titre qu'une mère, je te délègue tous mes pouvoirs, et pense qu'à défendre les enfants comme s'ils étaient les tiens. C'est pas un reproche que je te fais, mais fie-toé jamais à ton père.

Dans sa révolte, Héléna échappa tout haut: « Y a une pierre à la place du cœur. » Il fallait qu'Héléna soit très en colère pour s'en prendre à Gustave devant les enfants.

Elle se tourna vers Gilbert.

– C'est le ciel qui me punit pour avoir déserté la maison sans la permission de Gustave. Asteure, les petits paient pour.

– Non, Héléna, reprit Gilbert. Votre devoir était d'assister Marianne, vous pouviez pas vous séparer en deux.

Héléna aperçut une enveloppe qui traînait sur la table. Elle était adressée à Gustave. Elle l'apporta dans sa chambre pour la lire en paix. Marianne s'était vidé le cœur et Gustave n'avait même pas eu la décence de jeter sa missive au feu.

Quand Héléna replia la petite feuille, un demi-sourire se dessina sur ses lèvres. Elle pensa: « Cré Marianne! Elle aura tout essayé. »

XV

Les dix jours de relevailles passés, Marianne fit sa première sortie. Avant de retourner dans son patelin, Huguette voulait acheter une blouse à sa mère pour sa fête. La logeuse s'était offerte pour garder le bébé, mais à une condition :

— Seulement si vous me promettez d'être de retour pour quatre heures. J'ai un souper à préparer pis je veux pas le retarder.

Chez Dupuis & Frères, la vendeuse parlait mal le français et elle était incapable de bien prononcer le nom de Desrochers — elle disait : «Décrocher». Pourtant, Desrochers était un nom assez populaire. Les filles se regardaient et riaient, et la serveuse répétait, la bouche tordue, «Décrocher». Les filles en étaient aux larmes à force de rire, et ce, jusque dans le tramway. Huguette, qui avait un problème à se retenir de faire pipi, s'échappa légèrement sur la banquette. Rendue à la rue Saint-Hubert, elle céda sa place humide à une femme rondelette et elle se retrouva coincée entre cette grosse dame et un vieux monsieur. C'était à peine si les belles-sœurs se voyaient à travers leurs larmes tant elles pouffaient de rire.

À son retour chez elle, Huguette ne voyait plus Montréal du même œil. Après dix jours loin de son village natal, elle réalisait que la ville avait quelque chose d'ensorcelant.

— Si t'as encore besoin de moé, dit-elle, t'auras juste à me faire signe.

Théodore demeurait au presbytère en attendant un travail. Chaque matin, il assistait à la messe du jour, déjeunait et partait à la chasse aux emplois. La biscuiterie Viau avait mis sa demande en attente, même résultat à une manufacture de portes et fenêtres.

Finalement, le curé Rosaire Branchaud lui conseilla de postuler au magasin Dupuis & Frères. Théodore s'y rendit avec une lettre de recommandation du curé.

Le grand magasin Dupuis & Frères réservait un rayon complet au commerce de vêtements sacerdotaux : soutanes, surplis, aubes et autres objets religieux. La famille Dupuis vénérait les prêtres et, à certaines occasions, ceux-ci étaient invités à célébrer une messe sur place.

Théodore y obtint un poste.

Ce soir-là, il se rendit tout joyeux à la pension de Marianne. Il ne vivait plus que pour revoir ses deux amours. Il attendit dans le salon — c'était formellement défendu de laisser entrer les garçons dans les chambres.

— Théodore, enfin toé ! Le dimanche arrivait pus.

Marianne se tenait devant lui, toute délicate, toute frémissante dans sa petite robe en crêpe de laine qui enserrait sa taille fine. Théodore aurait voulu la serrer dans ses bras, l'embrasser à pleine bouche, lui faire l'amour comme près du fossé, sous le gros saule, mais il devait se contenter de la regarder dans les yeux et de lui voler un petit bec, pas plus — ils devaient être discrets, la logeuse pouvait les voir par un petit miroir suspendu au mur du salon et placé là exprès pour surveiller les comportements de ses pensionnaires.

Le fait de refouler son désir fou de posséder Marianne rendait Théodore plus tendre, plus rêveur, et ses sentiments devenaient plus profonds.

— Va chercher ma fille que je la voie.

— Si on allait au parc Lafontaine ?

Ils s'y rendirent en tramway. Ils s'engagèrent dans une allée de fleurs aux couleurs variées qui tranchait sur la verdure du gazon. L'air tiède caressait leurs bras. Deux amoureux se bécotaient sur un banc en fer verdi. Plus loin, des enfants laissaient tomber la main de leurs parents pour se rouler dans l'herbe. Des mères poussaient des landaus à hautes roues.

— J'aimerais ben ça avoir un carrosse pour Victoria.

— C'est plus pressant de nous acheter des meubles.

— T'as ben raison, mais peut-être qu'un jour…

Théodore attira Marianne vers un banc isolé du parc.

— Icitte, on va pouvoir jaser en paix.

— Parle-moé des applications que t'as faites d'un bord pis de l'autre.

— Tu le croiras pas. J'ai enfin trouvé un boulot comme homme à tout faire chez Dupuis & Frères, pis c'est grâce à ton oncle Rosaire !

— Raconte ! Laisse-moé pas pâtir plus longtemps.

— Mon travail commence à la fermeture du magasin. Mon quart est de six heures à minuit. Ça consiste à trier les objets selon leur espèce et ensuite à les distribuer dans leur rayon respectif, que ce soit des landaus, de la vaisselle, des lampes, des manteaux, des jouets…

— Tu vas passer tes soirées à charrier du stock? Tu vas t'épuiser pis tu pourras pas tenir.

— Je serai pas seul, on va travailler en équipes. Dis-toé que si d'autres l'ont fait, je peux le faire aussi.

Pour ce travail, les distributeurs utilisaient des chariots à roulettes qu'ils laissaient au bas des escaliers. Ils devaient ensuite monter les marchandises aux trois étages, ce qui signifiait passer la majeure partie de leur quart à monter et à descendre les bras chargés d'objets lourds, et les placer sur les étagères.

— Je vais me louer une chambre à la semaine, continua Théodore, pis après trois mois de service, quand j'obtiendrai ma permanence, on pourra chercher un logement pis se marier. J'ai tellement hâte qu'on se retrouve seuls, moé pis toé pis la petite. Ton oncle Rosaire est ben bon de me garder, je suis ben logé, ben nourri, mais je m'ennuie de toé. Je suis pas rentré dans les ordres, moé!

Théodore embrassa Marianne sur la bouche, mais la petite Victoria, qui pleurait, mit fin à ses ardeurs.

* * *

Neuf mois plus tard, Théodore et Marianne unirent leur destinée en présence de l'oncle Rosaire, curé de Rosemont. Depuis leur arrivée à Montréal, ce dernier veillait toujours discrètement sur le jeune couple.

Ils dénichèrent un vieux logis dont le sol en planches penchait d'un côté. Le curé Rosaire Branchaud leur avait trouvé quelques meubles usagés, des dons de paroissiens charitables.

Marianne économisait sou par sou pour payer le loyer et le bois de chauffage.

C'était un lundi neigeux La fumée des cheminées volait bas, écrasée par le brouillard. Marianne s'accouda à la fenêtre, comme elle s'y mettait souvent quand l'ennui la prenait. Elle regardait les flocons blancs de la grosseur des œufs d'oiseaux descendre tranquillement du ciel et danser devant ses yeux avant de se poser au sol.

Des coups frappés à la porte d'en avant la tirèrent de sa contemplation. Elle se demanda bien qui frappait chez elle ; personne ne les visitait. Ce ne pouvait être Théodore, il entrait toujours par la cuisine. Elle passa une main dans ses cheveux et s'empressa d'ouvrir.

— Mon oncle Gilbert ! s'exclama Marianne, le ton bas pour ne pas réveiller Victoria, qui dormait son somme de l'après-midi.

Gilbert entra dans le vestibule avec une énorme caisse qui semblait peser lourd dans ses bras.

— Déposez votre boîte et passez à la cuisine.

Gilbert enleva ses bottillons.

— Ta mère t'envoie des produits de la ferme, dit-il, pis, dans le sac, elle a mis quelques vêtements d'enfants, des choses qu'elle a tricotées pour la petite.

— Ç'a l'air pesant, je peux prendre mon bout.

— Non, laisse-moé passer.

Gilbert reprit sa caisse et suivit Marianne du corridor jusqu'à la cuisine, où se trouvait un ramassis d'objets donnés généreusement.

Le logis était misérable, les fenêtres et les murs, nus, si ce n'était des traces d'humidité sur les cloisons et d'un petit crucifix suspendu au-dessus de la porte. Et, dans ce décor pitoyable, Marianne paraissait encore plus jolie avec sa masse de cheveux bouclés et son port de tête altier.

Gilbert déposa la boîte sur la table et, aussitôt, Marianne commença à en vider le contenu. Elle s'exclama, émue :

— Du lait, des œufs, du pain, une volaille, des cretons, de la farine de sarrasin! Ah ben, jusqu'à des galettes aux raisins! C'est Théodore qui va être content! M'man a pensé à tout. Tenez! Je vais lui donner un livret de coupons de ration pour le sucre, moé, je m'en sers pas.

— Garde-les donc au cas où t'en aurais besoin. Là-bas, ta mère manque de rien.

— Enlevez votre paletot.

— Non, on gèle icitte. Tu chauffes pas?

— Un peu. Je dois ménager le bois pour arriver à payer le loyer.

— Regarde, mets ta main au bas de la fenêtre, on sent le froid entrer.

— Je sais, dit-elle. Icitte, on gèle près des murs, pis on crève près du poêle, mais le propriétaire fait rien. Y dit qu'au prix qu'y nous charge, y fait pas d'argent. Là, une chance que m'man m'envoie de quoi manger; y me restait rien qu'un fond de bouteille de sirop d'érable pis un bout de pain rassis.

— T'as pas de farine pour faire ton pain? Y faut pas que tu manques de pain, Marianne, jamais! Au besoin, fais-le moé savoir.

Gilbert caressa son bras comme on le fait à un enfant qu'on console. Où donc était la Marianne qu'il avait connue si vivante?

— Je vais pas me mettre à quêter, dit-elle. Théodore m'en voudrait. On est encore chanceux que m'man nous envoie de quoi manger. Pendant la crise, par icitte, c'est pas comme en campagne, y a des gens qui meurent de faim.

Gilbert l'observait. Tout lui manquait. Elle devait s'inquiéter de l'avenir. Il dut faire un effort pour ne pas la ramener chez elle. Il lui tendit un billet de cinq dollars.

— Prends ça, dit-il.

Elle le saisit vivement.

— Merci, mon oncle! Cet argent servira à payer mon prochain accouchement.

— Non! Je tiens à ce que tu le gardes au cas où tu manquerais de nourriture. Tu me le promets? Pour le reste, on verra plus tard.

— Promis! Vous êtes trop bon! J'espère pouvoir vous remettre tout ça un jour.

Gilbert se laissa tomber sur la première chaise et Marianne profita du fait d'être seule avec lui pour se laisser aller aux confidences. La nervosité lui causait des démangeaisons aux poignets.

— Asteure, on va parler de p'pa.

Gilbert vit une grande tristesse dans ses yeux.

— Je t'écoute. Mais je pense qu'on n'a pas grand-chose à dire de lui.

— Je voudrais qu'y m'aime!

— Pauvre Marianne, je pense que ton père est incapable d'aimer. Y aurait eu l'occasion de le prouver quand t'es partie de la maison. Y aurait dû te laisser un de ses logements pis y l'a pas fait. Tu ferais mieux de l'oublier si tu veux pas souffrir.

— C'est pas facile.

— Je sais. Dis-toé qu'y est mort, ce sera plus facile.

Gilbert posa une main sur la sienne.

— Une chance que je vous ai, vous, dit-elle.

Marianne, émue, avait la larme à l'œil. Gilbert releva son menton tremblant. Ça lui faisait mal de voir une grande fille quêter l'amour de son père.

— T'es heureuse avec ton mari et ta fille?

— Oui, ben sûr!

— C'est ce qui est le plus important, Marianne. Maintenant, tourne-toé vers ta petite famille et déverse tout ton amour sur les tiens.

— Vous savez, dit-elle, j'en parle pas à Théodore pour pas qu'il s'ennuie de La Plaine, mais j'aimerais tellement retourner par chez nous. Mais ça, on n'a même pas le droit d'y rêver. Je m'ennuie de ma famille, pis vous allez trouver ça niaiseux, mais je m'ennuie aussi du train qui passe devant la porte, ç'a toujours été une attraction dans notre petit coin tranquille.

Comme une exilée, Marianne ne cessait de penser à son coin de campagne. Elle regardait dans le vide.

Gilbert voyait bien que la vie de ville lui pesait.

— On sait jamais ce que l'avenir nous réserve. Peut-être que, plus tard, quand les racontars des petites gens seront oubliés…

— Quand je serai vieille?

— Pour le moment, occupe-toé surtout de prendre ben soin de ta santé pis de celle des tiens.

— Vous êtes un vrai père pour moé.

Gilbert l'embrassa sur les deux joues. Le compliment lui allait droit au cœur.

— Comment va le travail de ton mari?

— Avant, Théodore se plaignait jamais, mais là, y est pas content parce qu'avec la crise, y s'est fait couper des heures d'ouvrage. Y a commencé à voyager à pied pour ménager sur les billets de tramways. Ça y prend une demi-heure de plus, matin et soir, mais ça nous aide un peu à payer le bois de chauffage.

— Bon, je te laisse, mais je vais revenir.

Gilbert ajouta, avec une pointe de moquerie dans le regard :

— Je te garde à l'œil, tu sais.

Marianne lui adressa un sourire adorateur. Puis, son regard se fit plus sérieux. Comme une exilée, elle repensait à sa petite patrie.

— Merci pour tout! Vous direz bonjour à tout le monde, pis dites à m'man que je vais lui écrire pour la remercier de ses bontés.

— J'y manquerai pas.

Gilbert s'en voulait de la laisser seule. Il s'en retourna pensif. Le petit couple était pauvre comme du sel, mais l'amour régnait entre leurs vieux murs.

XVI

Deux ans plus tard, jour pour jour, Héléna, Gustave, Fernande, Gilbert, Jacques et Rosaire étaient attablés chez Agathe pour la fête d'Antoine quand on entendit des coups à la porte du salon. Agathe ouvrit. C'était Fortunat. Il parla à voix basse.

— On m'envoie vous dire que madame votre belle-mère est décédée.

Agathe restait là, bouche bée. Rien n'avait laissé présager le décès de sa belle-mère. Maintenant, comment apprendre la mauvaise nouvelle à Antoine ? Pour comble, le jour de sa fête.

Gilbert s'approcha.

— Votre mère est morte, lui chuchota Agathe.

Gilbert se précipita à la cuisine aviser les siens. Rosaire récita une courte prière.

— Accordez-lui, Seigneur, le repos éternel. Ce soir, ajouta-t-il, je dois retourner à Montréal, mais je serai de retour demain.

Il s'approcha de Gilbert.

— S'il te plaît, avertis Marianne du décès de sa grand-mère et dis-lui qu'elle ferait mieux de pas assister aux funérailles. Gustave lui a défendu de revenir dans la paroisse et il faudrait éviter un scandale.

— Ce sera à Marianne de décider de ce qui est bon ou mauvais pour elle.

* * *

Deux jours plus tôt, la vieille Augustine avait eu besoin d'un plat qui se trouvait sur la plus haute tablette de l'armoire, et, pour le saisir, elle s'était juchée sur une chaise. Cordélia l'avait avertie de ne pas grimper dans le haut de l'armoire, mais elle n'écoutait rien. En mettant le pied sur la chaise pour redescendre, celle-ci s'était déplacée et Augustine s'était retrouvée au sol, un bras et une jambe brisés. Sur le coup, l'incident l'avait fait souffrir, puis après que le médecin lui eut installé des attelles qui tenaient en position ses membres fracturés, ça l'avait fait rire. Suite à sa chute, un caillot lui monta au cerveau. Deux jours plus tard, la vieille rendait l'âme.

* * *

Marianne voyait là une belle occasion de retrouver ses frères et sœurs, les plus jeunes surtout. Ils devaient avoir changé depuis deux ans. À leur âge, les enfants poussent comme de la mauvaise herbe.

* * *

Le matin du service funèbre, au village de La Plaine, Marianne descendit du train. Elle était seule, Théodore s'occupait de garder sa fille – c'était impensable de s'afficher dans la paroisse avec son enfant à cause des cancans.

Marianne se rendit à l'église, monta l'allée centrale et s'assit dans un des bancs réservés aux familles de la défunte.

L'église était bondée de monde. Pour la mère de trois prêtres, l'allée centrale était remplie de prêtres et de diacres. Un jeune trompettiste, vêtu d'un pantalon blanc, occupait le dernier banc. Les paroissiens occupaient les allées de côté.

À son tour, Gustave s'agenouilla. En apercevant Marianne, il écarquilla les yeux et eut un mouvement de recul, comme s'il était terrorisé pour la première fois de sa vie. L'expression de sa bouche se durcit, et, dans ses yeux, on pouvait voir son mépris, son dégoût. Héléna sentait la colère de son mari. Elle pouvait lire dans ses pensées.

Gustave se leva d'un bond.

– Gustave, qu'est-ce que vous faites ? chuchota Héléna.

Comme Gustave sortait de son banc, Héléna fit un pas vers lui et murmura :

– Vous rendez-vous compte de ce que vous faites, Gustave ?

Son mari ne répondit pas. Il n'y avait que lui qui avait raison. Il saisit Marianne par un bras.

– C'est pas la place des putains, icitte, dit-il en la reconduisant hors de l'église.

Héléna les suivit, désireuse de connaître ce qui allait suivre. Gustave poussa sa fille vers la gare.

– Va-t'en ! hurla-t-il. Pis que je te revoie pus jamais par icitte !

Marianne fit volte-face.

— Lâchez-moé! Vous avez pus aucun droit sur moé. Depuis que vous m'avez reniée, vous êtes pus mon père.

— Je t'ai avertie de pus jamais revenir dans la paroisse.

— De quel droit? demanda-t-elle. La paroisse vous appartient pas.

Marianne lui en voulait à mort. Elle ajouta, la bouche dédaigneuse:

— J'aime mieux mon oncle Gilbert que vous.

Héléna assistait à la scène, impuissante. Ses yeux laissèrent échapper une larme. Même si elle croyait avoir pleuré toutes les larmes de son corps, il en restait toujours une pour un autre malheur. Elle se rendit près de Marianne.

— Tiens, prends mon mouchoir.

Marianne le déplia — sa mère y avait déposé quelques dollars.

— Va, tu ferais mieux de retourner à Montréal. Tu m'écriras, ton père pourra rien contre ça.

Marianne s'entêta.

— Non, j'ai pas à ramper devant lui. J'y ai rien demandé à ce que je sache. Qu'y me foute la paix! J'ai le droit d'assister aux funérailles de ma grand-mère.

Héléna, décontenancée, retourna à sa place dans le transept. Elle ne pria pas, elle pensa à son père, Jules, qui avait été tolérant à l'égard de son frère Jean-Guy lors de sa paternité précoce, mais elle ne pouvait s'attendre à tant de compréhension de la part de Gustave.

Pendant la consécration, Héléna entendit des pas légers dans son dos. Elle tourna la tête.

Marianne entrait de nouveau dans l'église. Elle se disait qu'elle en avait le droit. Son père pouvait la mettre à la porte de chez lui, mais la maison de Dieu ne lui appartenait pas, elle appartenait au peuple. Elle s'assit dans le dernier banc et y resta jusqu'à la fin des obsèques. Elle fut la première à quitter l'église. Elle fila chez Cordélia.

Au cimetière, des hommes cravatés glissèrent des câbles sous le cercueil, et, pendant qu'on descendait doucement la morte en terre, le trompettiste sonna le clairon. Trois coups déchirèrent l'air dans un silence total et proclamèrent avec éclat le départ de l'âme d'Augustine pour le paradis.

Au retour du service religieux, les proches de la défunte étaient invités chez Cordélia, où un repas froid serait servi. À l'arrivée des invités, Marianne était déjà là qui dressait la table.

Son père entra, mais Marianne ne le craignait plus. Il se dirigea droit devant elle en pointant le doigt en avant.

– Toé, prends la porte, pis au plus vite!

Marianne, comme sourde, continua de préparer une salade.

Gustave la saisit par un bras, mais Gilbert intervint aussitôt. Il n'eut qu'à passer un bras entre eux pour libérer Marianne.

À son tour, Cordélia s'emporta:

– Gus Branchaud, asteure que m'man est morte, cette maison m'appartient et j'y reçois qui je veux. Marianne sera toujours comme chez elle dans ma maison. Compris?

– Arrivez, commanda Gustave aux siens. On est pus les bienvenus icitte.

— Si, rectifia Cordélia, vous êtes tous les bienvenus, sans exception.

L'abbé Rosaire chercha à retenir son frère.

— Gustave, reste avec nous, tu partiras après le repas.

Gustave jeta un regard à Héléna.

— Arrive, toé, viens me faire à dîner.

À son tour, Héléna tint tête. Cette fois, elle se sentait appuyée par sa belle-famille.

— Non, icitte, le 'dîner est prêt. Moé, je reste. Nous retournerons avec Gilbert si ça le dérange pas de nous ramener.

Gustave sortit en claquant la porte et reprit le chemin de sa maison.

Marianne pouvait enfin jaser avec les siens en toute tranquillité.

XVII

On était en pleine crise économique. Les usines du Québec se vidaient, le taux de chômage approchait les trente pour cent. Le malheur frappait aussi les campagnes. Les prix avaient chuté de soixante pour cent. On retournait à l'agriculture de survie. Heureusement, les fermiers pouvaient se nourrir des produits de la ferme.

À Montréal, si les gens en manque de nourriture étaient des catholiques pratiquants, la société Saint-Vincent-de-Paul leur accordait des bons de nourriture, que les femmes allaient chercher la noirceur venue. Les œuvres de bienfaisance étaient débordées. On n'obtenait rien pour le logement. Le gouvernement dut intervenir. Le secours direct fut instauré et des allocations pour les loyers furent accordées. On distribua des fèves au lard pour permettre aux gens de survivre. Comme l'argent était rare, les gens dépensaient peu et usaient leurs vêtements à la corde.

Théodore ne travaillait que dix heures par semaine et toute sa paie passait pour le loyer, le chauffage et l'électricité.

Héléna s'inquiétait de la petite famille. Elle préparait, à l'insu de Gustave, encore plus de provisions qu'au début de leur mariage, comme de la viande, des œufs, du pain et des légumes en conserve, et Gilbert, en allant visiter son frère curé, allait porter les vivres chez Marianne.

Héléna ne s'en faisait pas un cas de conscience. Chaque fois que la parenté éloignée passait les saluer, ils retournaient à la ville avec un sac rempli de viande, de lard salé, de fruits et de légumes. Sa fille n'était-elle pas plus importante que les cousins de Montréal?

* * *

Le dimanche était jour de repos. Six garçons, dont Marc et Émile Branchaud, se rassemblèrent chez les Grenon pour jouer une partie de balle molle. Les grands adolescents n'avaient que le jeu en tête. Le match terminé, Marc, Émile, Louis et leurs copains s'en retournèrent chacun chez eux. Ils cherchaient un moyen de se distraire quand ils virent passer l'Assassin, ce mendiant ami de la Cabelote. Le quêteux frappait à toutes les portes.

Marc, un petit brave à trois poils, eut une idée farfelue: profiter du temps que son père faisait son somme de l'après-midi pour se rendre à la cabane de la Cabelote. Il introduisit deux doigts aux commissures de ses lèvres et siffla. Il n'avait pas sitôt sifflé qu'une dizaine de jeunes s'amenèrent.

– Les gars, j'ai un plan d'enfer. On va tous chez la Cabelote. Suivez-moé. Mais pas vous deux, Louis pis Damase, vous courez pas assez vite. Restez icitte jusqu'à ce qu'on revienne.

Cette femme-homme était une primitive, une originale qui ne faisait rien comme tout le monde et, dans les maisons, elle était le sujet de plus d'une causerie. Les enfants en entendaient parler et tous portaient un intérêt à ce drôle de spécimen qui éveillait leur curiosité. Elle intriguait autant les petits que les grands.

— Mon père, raconta Lucien, dit qu'elle grimpe dans les noyers sans grappins à ses chaussures. Pis ma mère dit qu'elle sacre comme un gars de chantier pis qu'elle va pas à la messe.

Dans les années trente, le devoir et la pratique religieuse passaient avant tout.

— Mon père à moé, relança Régis, y dit qu'elle attrape des écureuils à mains nues pis qu'elle les mange. Y dit aussi qu'elle ramasse de la gomme d'épinette au couteau sur les arbres.

— Quand l'Assassin va arriver, on va surveiller ce qu'y va faire là, proposa Marc. Si on se fait prendre, on dira aux parents qu'on était allés voir Jean-Louis Bérard, qui reste dans le coin.

Les parents interdisaient à leurs enfants de s'éloigner de la maison, mais la curiosité des gamins était trop forte. D'un commun accord, les adolescents prirent la montée Mathieu. Ils occupaient toute la chaussée, laissant à peine le passage aux voitures. De là, ils s'engagèrent dans le rang qui menait chez les Hervieux. Tout en marchant, Émile racontait :

— Si on avait un bicycle, ça irait plus vite. Mon oncle Gilbert s'en est acheté un, lui.

— Ça prend des bidous pour ça. Mais quand un gars est riche comme lui, y peut tout se payer, relança Lucien.

— Oui, pis là, y parle de s'acheter une machine comme celle du docteur Coupal, ajouta Marc. Si y peut se décider, je vais y demander de me donner son bicycle à deux roues.

Les garçons approchaient de leur but.

— Si mon père nous poigne à aller écornifler chez les gens, reprit Régis, y va me mettre en pénitence tout le temps de la kermesse. Surtout chez la Cabelote! C'est ben défendu de s'approcher de sa cabane parce que cette femme-là va pas à la messe. Je l'ai même entendu dire à m'man qu'y devait se passer là des choses pas trop catholiques avec l'Assassin.

— Peut-être que le diable est dans sa cabane.

Émile était nerveux.

— J'ai peur, Marc!

— Ben non, si la Cabelote nous surprend, on va se trouver à six contre elle.

— Pis si p'pa l'apprend, ajouta Émile, craintif, on va en manger toute une.

— Arrête donc de faire le pissou, rétorqua Marc. Après tout, y nous tuera pas! Surtout, pas de bruit, les gars. Si on passe par en arrière, personne nous verra. Une fois là, on attendra l'arrivée du quêteux avant d'aller écornifler en dedans.

C'était une cabane en planches avec un toit en tôle rouillée.

Assis dans les hautes herbes, derrière la masure, les gamins attendirent, silencieux.

Soudain, Émile sauta sur ses pieds.

– L'Assassin arrive pus, pis moé, je passerai pas la nuite icitte à attendre. Je vais aller retrouver Louis pis Damasse.

Marc l'attrapa par un bras et chuchota :

– Ferme-la, toé ! Pis grouille pas de là.

L'Assassin tardait. Tour à tour, les garçons s'impatientaient. Finalement, Marc et Lucien se glissèrent en douce jusqu'à la petite fente d'une planche et tendirent l'oreille. Ils n'entendaient pas un son. Ils supposèrent que la Cabelote était partie à la pêche.

Marc se déplaça avec l'agilité d'un singe. Il se rendit près de la porte et étira le cou au carreau. Rien ne bougeait. Comme il entrebâillait doucement la porte, Lucien lui donna une poussée énergique qui fit ouvrir la porte à pleine grandeur et qui le projeta à l'intérieur. La Cabelote gisait au sol, les yeux et la bouche entrouverts. Marc laissa échapper un cri d'horreur. Une odeur nauséabonde, une odeur inconnue de lui jusque-là, lui causait des haut-le-cœur. Le garnement, frappé de stupeur, sentit son dîner remonter dans son estomac. Le spectacle horrible le fit reculer rapidement jusqu'à l'extérieur. Il referma aussitôt la porte et quitta le lieu en vitesse. Il se mit à courir à toutes jambes et s'arrêta une centaine de pieds plus loin. Là, il se dissimula derrière un arbre pour reprendre son souffle.

Ses copains, avides de vivre des émotions fortes, s'approchèrent à leur tour et regardèrent à travers la vitre. Un rat marchait sur le corps mort de la Cabelote.

Lucien étouffa un cri de sa main.

– La Cabelote est morte. Vite, les gars ! Partons d'icitte !

Lucien était blanc de peur. À leur tour, ses complices étiraient le cou – ils voulaient s'assurer de la véracité de ses dires. Ils reculèrent devant la scène horrible. De gros rats bouffaient le corps de la Cabelote. Leur bravade se transforma en frousse.

L'odeur de mort, qui émanait de la cambuse, se répandait même à l'extérieur.

Les garçons, épouvantés, s'enfuirent à toutes jambes. La Cabelote faisait encore plus peur morte que vivante. Marc s'arrêtait à tout bout de champ, les mains sur le ventre pour reprendre son souffle, et il repartait, les talons aux fesses, comme si le fantôme de la Cabelote le poursuivait. Arrivés à mi-chemin, les jeunes réduisirent l'allure. Ils marchèrent, essoufflés, en discutant entre eux, tels des gamins ignorants, mais pas des imbéciles. À cet âge de la vie, la connaissance des êtres est limitée. Les garçons aimaient discuter et donner leurs impressions. Marc était bouleversé.

– C'est peut-être l'Assassin qui l'a tuée, dit-il. Les gens doivent pas l'appeler de même pour rien.

– Je me demande pourquoi la Cabelote vivait comme ça, tout'seule dans une cabane. Toujours vivre seule, ça devait être plate. En tout cas, moé, j'aimerais pas ça, vivre de même. M'man a déjà dit qu'elle devait manquer de nourriture.

– On le saura jamais, reprit Lucien, elle est partie avec son secret. Elle avait qu'à se marier, son mari l'aurait fait vivre!

– Peut-être qu'elle puait trop.

– En tout cas, ça la ramènera pas en vie.

— Asteure, dit Marc, y va falloir le dire aux autres pour qu'y l'enterrent. Mais c'est pas moé qui va l'annoncer.

— Ni moé, enchaîna Émile. Comme c'est toé, Marc, qui nous a fourrés dans la marde, c'est à toé de payer pour.

Les gamins appuyèrent Émile.

— Qui c'est qu'on doit avertir? demanda Marc. Si on le dit à m'man, elle va nous punir, elle qui nous a toujours défendu de nous en approcher. Encore pire si elle apprend qu'on s'est rendus à sa cabane.

— On aurait mieux fait d'avertir les Aubry, dit Lucien. Mais moé, je retournerai pas là, j'en ai assez vu.

— Marc, proposa Émile, si tu le disais à mon oncle Gilbert, y saurait peut-être te conseiller? Lui, c'est un adulte.

— Allons-y tous ensemble.

Les gamins étaient si surexcités que Gilbert entendait leurs respirations saccadées.

Marc lui raconta leur escapade d'une traite et finit par dire:

— Je l'ai vue, de mes propres yeux vue. Pis j'ai eu la chienne de ma vie!

Sitôt au courant de l'affaire, Gilbert avisa les jeunes:

— Bougez pas d'icitte, je reviens dans la minute.

Gilbert courut avertir le chef de gare. Il lui dit:

— Quand vous retournerez au village, y faudrait avertir les autorités que la Cabelote est morte pis que les rats sont en train de la bouffer. Pis si vous voyez l'Assassin, vous y apprendrez la nouvelle.

Au retour de la gare, Gilbert s'adressa à Marc et Émile:

— Le corbillard va aller la chercher. Pis que j'en voie pas un de vous autres remettre les pieds dans ce coin-là, pis pas un mot là-dessus à personne. Les autorités vont faire ce qu'y faut.

— Allez-vous dire à p'pa qu'on est allés écornifler chez la Cabelote ? s'informa Émile, inquiet.

Gilbert se souvint du jour où, à leur âge, lui et Villeneuve avaient fait la même incartade, ce qui le rendit indulgent.

— Pas si vous me promettez de pus vous conduire comme des imbéciles.

— Merci, mon oncle !

En entrant dans la maison, Émile sauta au cou de sa mère et l'embrassa sur la joue.

Surprise par son élan inattendu, Héléna, qui, par pudeur, n'embrassait plus ses adolescents, en perdit l'équilibre.

— Nom de Dieu ! Tu vas me jeter par terre, Émile. Mais, vous êtes donc tous ben pâles !

Sur cette remarque d'Héléna, la maison se vida d'un coup.

Les jeunes partis, Gilbert entra.

— La Cabelote est morte, dit-il.

— La Cabelote ? répéta Héléna. Je l'aurais pensée un monument. Morte de quoi ?

— Je sais pas.

— Pourvu que ce soit pas de faim, dit-elle, quand icitte on mange plein notre ventre.

Héléna se reprochait de ne pas avoir été plus vigilante. Elle se rappelait le jour où la femme avait dîné chez elle et que des larmes étaient tombées dans son assiette.

– Pauvre femme ! Elle doit pas l'avoir eue facile. J'espère que, de l'autre bord, le bon Dieu va en avoir pitié.

– Les autorités devront s'occuper de l'inhumer.

La Cabelote fut enterrée aux frais de la paroisse, le corps dans le cimetière et la tête à l'extérieur, comme cela était coutume pour les non pratiquants. Tout le monde connaissait cette pauvre femme. On raconta dans la paroisse que, ce jour-là, le ciel s'était déchiré juste ce qu'il fallait pour qu'une âme puisse y passer.

XVIII

Le curé annonça en chaire deux fins de semaine de kermesse, une fête villageoise célébrée en plein air avec de grandes réjouissances. Les jeunes attendaient impatiemment ce temps propice aux rencontres et aux amours. L'invitation ne tomba pas dans l'oreille de sourds. Au dîner, Marc et Émile attendirent que leur mère serve le dessert avant de demander à leur père la permission de sortir. Ils ne voulaient pas paraître pressés.

— Non! Reposez-vous, marmonna Gustave d'un ton bourru. Comme ça, quand je vous le demanderai, vous serez capables de travailler.

— On fait rien que ça, travailler, ajouta Marc sur le même ton. À dix-huit ans, j'ai ben le droit de sortir.

— Toé, ferme-la.

Marc, lui, tint tête.

— Les Grenon ont le droit, eux autres, pis les Champoux aussi.

Leur père n'ajouta rien. Quand il avait tranché une question, il n'y revenait plus.

Émile regardait Marc d'un air déçu. Il donna un coup de tête de côté pour l'inviter à le suivre à l'extérieur.

De la table, Marie-Noëlle surveillait ses frères.

— On s'arrangera avec m'man, dit Émile.

— Non, m'man va dire comme p'pa, rétorqua Marc. J'ai une ben meilleure idée.

Marie-Noëlle s'approcha de la fenêtre ouverte qui donnait sur le perron et tendit l'oreille derrière la moustiquaire. Ses frères tramaient quelque chose, c'était évident, et ils n'allaient pas lui en parler, ils la laissaient toujours de côté parce qu'elle était une fille. Elle aussi aurait aimé participer à cette fête de bienfaisance et rencontrer des garçons, mais ses frères ne voulaient pas s'embarrasser d'une surveillante. Elle sortit les retrouver.

— Qu'est-ce que vous manigancez dans le dos de p'pa pis m'man, vous deux ?

— Rien ! dit Émile.

— Parlez moins fort, on entend tout en dedans. Moé aussi, je voudrais aller à la kermesse.

Marc répondit en fanfaronnant :

— Les filles, ça reste à la maison.

— Si c'est comme tu dis, y en aura pas une à la kermesse. Ça fait que… vous ferez pas votre avenir là.

* * *

Marc et Émile attendirent que la noirceur tombe sur la campagne pour déplacer l'échelle de douze pieds qui se trouvait appuyée au pignon de la maison et la pousser contre le mur extérieur de leur chambre.

Le samedi soir, une fois la maisonnée endormie, Marc et Émile se levèrent sans bruit et s'échappèrent par la fenêtre. Ils descendirent avec mille précautions pour que l'échelle ne frappe pas le mur et alarme leur père. Une fois en bas, ils rirent de leur exploit.

Le cœur joyeux, les gamins se rendirent chez Gilbert. Celui-ci dormait. En campagne, les portes n'étaient jamais verrouillées. Les garçons entrèrent librement chez Gilbert. Marc s'approcha du lit et secoua son oncle. Celui-ci, croyant sortir d'un rêve, se frotta les yeux.

— Mon oncle, c'est nous autres, Marc pis Émile, vos neveux.

Gilbert s'assit carré dans son lit.

— Et qu'est-ce que mes neveux viennent faire icitte à pareille heure ? Y a-t-y quelqu'un de malade ?

— Ben non, on voudrait emprunter votre bicycle pour aller à la kermesse au village.

— Y est déjà tard, la kermesse doit achever.

— On attendait que p'pa dorme pour pas qu'y s'en aperçoive. On veut aller voir les filles.

— Ça va, à la condition que vous attachiez mon bicycle dans la *shed* à chevaux, derrière l'église. Le cadenas est sur le buffet. Autre chose aussi, vous le prêtez pas à personne, pis prenez-en soin. La dernière fois, vous l'avez un peu égratigné.

— C'est qu'on est tombés quelquefois en apprenant à tenir l'équilibre. Mais là, on sait aller.

— Vous êtes ben fin, mon oncle.

— Bon ! Asteure, laissez-moé dormir, pis à votre retour, venez pas me réveiller.

— Je peux-tu emprunter aussi votre beau chapeau de paille ?

— Y va partir au vent.

— Je vais y faire attention, promis !

Gilbert fit un signe de la main qui signifiait « Faites ce que vous voulez et fichez-moi la paix » .

— On voudrait aussi un petit peu de votre lotion, juste ce qu'y faut pour pas sentir l'étable.

Toutes leurs demandes tenaient Gilbert éveillé. Il finit par se lever. Les garçons savaient bien qu'il ne leur refuserait rien. Ils se confondaient en remerciements.

Ils quittèrent la maison de leur oncle, heureux comme des rois.

Marc enfourcha la bicyclette et Émile s'assit sur la selle. Marc pédala péniblement.

— Après la veillée, ce sera à ton tour de pédaler.

Les garçons n'étaient pas rendus au village que, déjà, le son des violons leur mettait le cœur en fête.

Dans la longue *shed* à chevaux, Marc, pressé de se rendre au cœur de la fête, sauta de la bicyclette et l'attacha à l'anneau de fer. Il y avait foule sur la rue principale, comme si les gens de tout âge s'étaient donné le mot pour déserter leur foyer.

À la salle paroissiale, les portes battaient, les gens entraient et sortaient librement. Des lanternes chinoises suspendues à un fil couraient de kiosque en kiosque et éclairaient la place. On entendait des éclats de voix et des rires. Un haut-parleur criait le nom des gagnants.

Marc et Émile regardèrent les jeunes acheter des balles et viser des oursons en peluche que leur adresse leur permettrait peut-être de gagner. Malheureusement, eux n'avaient pas assez de sous.

Les garçons se sentaient observés. Émile poussa son frère du coude.

– Regarde les filles devant le kiosque de crème glacée. Ça fait un bon bout de temps qu'elles sont là. Elles ont l'air d'attendre quelqu'un.

C'étaient deux jolies gamines au teint frais, une brune, les cheveux attachés en queue de cheval avec une frange sur le front, et une blonde, dont les cheveux à la taille flottaient au gré de ses mouvements.

Marc jeta son dévolu sur la brune au front droit, aux yeux bleu foncé, ombragés de longs cils. Il se demandait ce qu'elle possédait de plus que les autres filles : son regard, son air intelligent ou l'ensemble de ses traits.

– Moé, je choisis la plus belle : la brune aux yeux bleus, dit-il.

Mais comme il la sentit le regarder, il détourna la vue pour cacher l'intérêt qu'il lui portait.

– Chacun ses goûts, reprit Émile. Moé, j'aime mieux la blonde. Elle a l'air plus douce, plus souriante.

Les garçons ne bougeaient pas. Comme ils ne savaient pas comment aborder les filles, ils se contentaient de les regarder tout en faisant semblant de ne pas les voir. Puis, lentement, Marc se tourna du côté de la salle paroissiale pour ne pas paraître trop intéressé. Émile, lui, regardait par terre et, de temps à autre, de son pied, il traçait des ronds dans le sable. Puis, il levait un moment les yeux du côté des deux beautés et il traçait de nouveau des cercles sur le sol.

Après quelques minutes, Marc se tourna de nouveau vers Émile.

– Va leur demander leur nom.

– Ça me gêne un peu. Vas-y, toé.

– On va pas passer toute la veillée à se reluquer.

— Si on allait faire le tour des kiosques, on pourrait revenir s'acheter un cornet en espérant que les filles seront encore là.

Ils s'en allèrent les mains dans les poches, la tête haute, en sifflant et en regardant droit devant eux. Puis, mine de rien, Marc se tourna légèrement.

Les filles rougissaient sous l'effet de l'émotion.

Marc cessa doucement de siffler.

La brunette lui semblait encore plus belle.

— Elles regardent de notre côté. Elles attendent peut-être qu'on les approche.

— Viens, dit Marc, on va passer tranquillement près d'elles, comme si de rien n'était. On va ben voir!

Marc surveillait la brunette à la dérobée. Son regard croisa momentanément le sien. Tout passa par les yeux. Elle lui adressa un sourire invitant. Marc n'en attendait pas plus. Il s'en approcha; il ne craignait plus de se faire rabrouer. «On ne sourit pas à quelqu'un qu'on déteste», se dit-il.

D'un coup de pouce, il souleva son joli chapeau de paille. La fille lui sourit de nouveau. Déjà, c'était gagné. Émile, plus timide, plus rêveur, suivit son frère comme un petit chien. Marc traçait toujours la voie à son cadet. Ce dernier, moins fonceur, n'avait pas à faire d'efforts, son frère les faisait pour lui. Mais cette fois, ce fut l'inverse: Émile s'approcha de la blonde, qui se présenta elle-même.

— Je suis Valéda Morin. Pis toé?

— Moé, c'est Émile Branchaud, pis lui, c'est mon frère Marc. On reste dans le rang Gauthier, juste en face de la gare.

— C'est loin ça?

— Assez!

— Moé, je reste au village.

— Pis moé, je suis Francine Beaudoin.

— Vous êtes deux sœurs?

— Non, je suis la cousine de Valéda pis j'habite à Terrebonne, le village voisin.

— Terrebonne, c'est pas à la porte, ça! dit Marc un peu déçu.

— Oui, mais je reste à coucher chez Valéda les jours de kermesse.

Marc prit la main de Francine et les tourtereaux ne se quittèrent plus du reste de la veillée.

Émile et Valéda les suivaient, trois pas derrière.

Les cœurs étaient à la fête, et la fête, à la tendresse. On retrouvait quelque chose d'enfantin dans leurs émotions toutes neuves. C'étaient des éclats de rire pour rien, des inutilités, des niaiseries de leur âge. À dix-sept et dix-huit ans, on n'est pas sérieux. Mais c'est aussi l'âge où les jouvenceaux s'éprennent facilement, sans raisonnement.

À la fin de la soirée, les garçons s'en retournèrent avec l'image des filles dans la tête et la promesse de se revoir le lendemain.

* * *

Émile pédalait et Marc bavardait gaiement. Le chemin du retour leur paraissait plus court.

— On a passé une belle soirée, dit Marc. Asteure, si on pouvait se reprendre demain.

— T'as vu comme on pogne avec les filles, nous deux? reprit Émile.

– Ouais! On peut pas en dire autant de Fernand Champoux, y avait l'air d'une âme en peine. Y a passé toute la soirée fin seul. Pourtant, Fernand est un beau gars.

– C'est vrai, dit Émile, le ton moqueur, mais nous deux, on a une coche de plus.

– Asteure, si p'pa peut ne pas s'être aperçu qu'on a déserté, on va se reprendre demain, pis aussi en fin de semaine prochaine.

Les garçons entrèrent chez eux le cœur suspendu entre le bonheur et la crainte.

* * *

Le lendemain, tout le patelin était au courant de l'incartade des jeunes Branchaud.

Héléna l'apprit de Gilbert, qui lui fit promettre de ne rien dire à Gustave. Fernand, qui était aussi belette que ses parents, avait rapporté à sa mère qu'il avait vu les gars de Gustave Branchaud avec des filles et, comme la mère Champoux savait tout ce qui se passait dans les maisons de la place, elle en parla à son mari garagiste, qui rapporta les faits à Gustave. Le jour même, Gustave enleva l'échelle de sous la fenêtre des garçons.

Marc s'en plaignit à sa mère.

– Vous, m'man, qu'est-ce que vous dites de ça? Tous les gars de notre âge ont le droit de sortir sauf nous autres. On est encore obligés de demander des permissions comme des petits gars de dix ans.

Héléna ne regardait plus ses garçons de la même façon ; ils changeaient dans leur tête et dans leur corps. Il y avait peu de temps, Marc, tout en bras et en jambes, avait quelques poils au menton, tout comme dans le temps Émilien Thibodeau, son premier béguin. Son petit Émile, son rêveur au cou fin et au corps délicat au bout de deux longues jambes, avait encore la démarche disloquée d'un enfant qui a grandi trop vite. Celui qu'elle avait failli perdre muait de la voix et semblait épris d'une fille. Depuis quelque temps, il semblait rêveur. .

— Vous avez pas besoin de vous sauver par les fenêtres, dit-elle. Passez par la porte d'en avant pis allez-y en voiture plutôt que d'emprunter la bicyclette de votre oncle.

— P'pa veut pas. Chaque fois qu'on y demande une permission, c'est toujours non.

— Hier non plus, votre père voulait pas, et pourtant…

Les garçons sentaient leur mère pencher en leur faveur.

— C'est vrai, ça, ajouta Émile. Si on y demande pas, on risque pas d'avoir un non.

— Si vous agissez comme des gamins, leur expliqua leur mère, comment voulez-vous que votre père vous traite comme des adultes responsables ?

Héléna voulait en connaître plus sur les fréquentations de ses fils.

— Parlez-moi de ces jeunes filles que vous avez rencontrées.

— Vous savez ça ? demanda Émile, le regard étonné.

Héléna n'allait pas dévoiler ses sources de renseignements.

— Une mère sait lire au fond des cœurs, dit-elle.

– Ah non! reprit Marc, incrédule. Vous, quelqu'un vous a renseignée. Ce serait les Champoux que ça me surprendrait pas.

Les yeux des gamins brillaient et leur silence parlait. Marc confia :

– Celle à Émile, c'est Valéda Morin, une fille du village, pis la mienne, c'est Francine Beaudoin de Terrebonne. Si vous la voyiez, m'man, elle a de ces yeux gris-bleu foncé aux longs cils pis des cheveux noirs jusqu'à la taille.

– La mienne, reprit Émile, c'est l'inverse. À les voir, on dirait pas des cousines. Valéda a les yeux de la couleur de l'or et les cheveux de la couleur des blés mûrs.

Marc le dévisagea, les yeux ronds, le rire aux lèvres. Il s'exclama :

– Mon frère, un poète!

– Ben non! rétorqua Émile. Je sais pas faire des phrases, moé, je dis juste ce que je pense.

Héléna se retenait de rire, Émile était si sérieux.

– Vous êtes un peu jeunes pour être en amour, dit-elle. Pressez-vous pas trop.

Marc tenta de cacher l'éveil de ses sentiments, de sa sensualité. Le mot «amour» ne faisait pas encore partie de ses expressions, il était un peu gênant pour un garçon encore timide. Il tenta de rassurer sa mère.

– J'ai dix-huit, dit-il, pis inquiétez-vous pas, je connais pas encore assez Francine pour me faire des idées sur nous deux.

Héléna n'écoutait plus. Elle se demandait si cette Francine Beaudoin pouvait être la fille d'Henri, ce garçon qui l'avait autrefois courtisée.

– Que fait son père dans la vie? demanda-t-elle, comme par hasard.

– Il est directeur d'un collège de garçons, à L'Assomption, je crois.

«Il fallait s'y attendre, pensa Héléna. Si c'est le beau Henri que je connais, il doit avoir su se placer les pieds.»

Héléna garda ses pensées pour elle.

Marie-Noëlle écoutait ses frères raconter leur aventure.

– Demain, dit-elle, si vous y allez en voiture, j'embarque avec vous autres.

– On veut pas de fille avec nous, y a pas de place dans le cabriolet.

– Vous prendrez la voiture à deux sièges.

– Non!

– D'abord, je vais y aller à pied. Le chemin est à tout le monde.

Héléna, partie dans ses pensées, revint sur terre.

– Ça m'inquiéterait trop de te voir partir sans surveillance, Marie-Noëlle.

Dans les yeux noirs en forme d'amande qui dévisageaient sa mère, on pouvait lire un sentiment confus d'injustice. Celle-ci avait toujours un degré de tolérance plus haut pour ses garçons.

– Les gars ont la permission d'y aller, eux autres, dit Marie-Noëlle, pis y sont plus jeunes que moé.

– Oui, mais une fille, c'est pas pareil.

– Vous voulez jamais rien! répliqua Marie-Noëlle, qui bouillait d'impatience.

– Je veux juste ton bien. Tu me remercieras plus tard.

– Plus tard, marmonna Marie-Noëlle, c'est à cent ans, ça? Quand je serai devenue une vieille carotte toute ratatinée? À mon âge, je sais quand même me tenir. Moé, quand j'aurai des enfants, je les élèverai pas de même, je leur laisserai un peu de liberté.

Marie-Noëlle s'essuya les yeux.

Héléna voyait bien qu'elle essayait de cacher une tristesse mal retenue. Elle détourna la tête aussitôt; elle se sentait responsable de la peine de sa fille, mais elle n'allait pas revenir sur sa décision, ce serait un recul.

– Le curé va être là, insista Marie-Noëlle, et pis pourquoi vous viendriez pas avec nous autres, m'man?

Émile ajouta de sa voix grave:

– Ben oui, m'man, hier à la kermesse, y avait plein de parents de votre âge, plusieurs même sont des gens de notre coin: les Gauthier, les Grenon, les Villeneuve, y avait aussi Josette Lafleur pis ses parents.

– On sait ben! Josette a le droit, elle! se lamenta Marie-Noëlle.

– Vous êtes si persuasifs que vous êtes sur le point de me convaincre, mais c'est non. Vous savez comme votre père est pas sorteux.

– Ben, nous autres, on l'est, rétorqua Marie-Noëlle.

– N'insiste pas, trancha sa mère.

– On sait ben! Je suis rien qu'une fille, moé, une moins que rien! répliqua Marie-Noëlle, le ton rancunier.

Elle lança un regard furtif à sa mère et détourna la tête.

Héléna avait l'esprit ailleurs. Le matin, les garçons s'étaient rasés pour la première fois et ne s'étaient pas fait prier pour entrer dans la cuve. Elle espérait qu'ils sauraient bien se conduire. Elle pensa à Marianne et à son frère Jean-Guy, qui s'étaient mariés obligés et que les gens de la paroisse avaient pointés du doigt.

— Je compte sur votre bonne éducation pour respecter ces jeunes filles, sinon vous feriez leur malheur. Vous comprenez ce que je veux dire? Si vous me promettez de bien vous conduire, je vais fermer les yeux sur vos sorties, mais décevez-moé pas. Surtout, pas de petits tours de voiture avec les filles parce que là, vous perdriez ma confiance pis votre père mettrait le holà à vos fredaines.

— Craignez pas, m'man, dit Marc. Les parents de Francine pis de Valéda vont être là pour surveiller.

L'après-midi, Marc astiqua la voiture à un siège et Émile, pendu au crin de la jument, passa le plus clair de son temps à brosser et à étriller la bête.

Avant le souper, Héléna prévint Gustave.

— J'ai donné la permission de sortir à Marc et Émile. Comme ça, y auront pas à se sauver par la fenêtre comme y l'ont fait hier soir.

— Je leur ai défendu de sortir, dit-il.

Héléna n'ajouta rien. Avec Gustave, elle avait appris à ne pas en rajouter. À l'insu de son mari, elle donna quelques sous aux garçons, de quoi acheter une crème glacée, pas plus.

* * *

Tôt après le souper, les garçons n'en finissaient plus de se peigner et de brosser leurs ongles. Pourtant, ils étaient pressés – au village, les filles devaient les attendre devant la salle municipale.

Marie-Noëlle était révoltée par l'interdiction de sortir que sa mère lui imposait et qu'elle considérait comme une injustice. Elle restait plantée dans la porte, comme une âme en peine, à regarder ses frères disparaître de sa vue quand elle aperçut un élégant cabriolet noir mené par un jeune homme. Marie-Noëlle plissa les yeux, étira le cou et ses traits s'adoucirent.

Le cheval ralentissait le pas. L'attelage venait chez elle, c'était évident. Marie-Noëlle regarda l'étranger attacher une pesée à la bride de sa bête, puis, comme il allait monter le petit escalier qui menait au perron, elle se tourna vers sa mère.

– Qui c'est ça, m'man? demanda-t-elle, les sourcils froncés.

Mais avant qu'Héléna ait le temps d'étirer le cou à la fenêtre, le garçon frappait et Marie-Noëlle ouvrait la porte à l'inconnu. Celui-ci enleva son chapeau de paille, qu'il descendit très bas.

– Bonjour, mademoiselle, dit-il. Je suis Dollard Bourgeois. J'ai entendu dire qu'il y avait une bonne fille dans cette maison et je viens vous demander si vous seriez assez aimable de me recevoir au salon.

Dollard était un garçon costaud à la mâchoire carrée, âgé d'une vingtaine d'années, le regard perçant, presque effronté. Il sentait la boisson.

Marie-Noëlle n'éprouvait aucune attirance pour cet étranger.

Elle resta sur le seuil, hébétée, puis, comme elle ne trouvait rien d'autre pour se tirer de sa situation embarrassante, elle lui débita un petit mensonge sans gravité.

– Je regrette. Tantôt, mon ami va venir me chercher pour la kermesse.

– Pourtant, mon cousin, Normand Champoux, m'a ben dit que vous étiez libre.

– Normand Champoux vous a dit ça? Vous y direz que je l'étais, mais que je le suis pus depuis hier.

– Je suis désolé, dit-il. Je m'excuse de vous avoir dérangée.

Marie-Noëlle referma la porte sur les talons de Dollard et elle resta plantée là à le regarder disparaître. «Si au moins, il m'avait plu», pensa-t-elle.

Dollard Bourgeois s'en alla, le visage écarlate, l'air terriblement déçu. Rien n'humiliait plus un garçon que de se faire éconduire par une fille. Dollard Bourgeois avait tellement tâtonné avant de se décider à frapper chez les Branchaud – il avait même avalé deux bières pour se donner du courage et tout ça pour se faire rabrouer. Cette fille était trop belle pour être libre. Toutefois, il la soupçonnait de mentir. Elle lui avait répondu en hésitant une phrase qui lui semblait inventée de toutes pièces. Il se dit que Marie-Noëlle l'avait envoyé promener.

Marie-Noëlle tourna un regard amer vers sa mère, qui retenait un sourire.

– Je me demande ce que vous trouvez de si drôle. Je vais passer la soirée seule à m'ennuyer.

– C'est parce que tu le veux ben. Les garçons viennent à toé d'eux-mêmes.

– Laissez donc faire! dit-elle, le cœur encore plein de rancune d'être retenue à la maison. Ce gars-là, y me plaît pas. Je veux pas d'un colporteur qui se cherche une fille de porte en porte, pis pas trop avantagé avec ça, le gars!

Cette fois, Héléna se laissa aller à rire librement. Elle répéta:

– Un colporteur!

Héléna se rappela ses fréquentations avec Henri Beaudoin, lesquelles s'étaient étirées sur une période d'un an parce qu'elle n'avait pas osé couper court à ses visites dès le début. Sa Marie-Noëlle avait plus de cran que sa mère. Elle devait tenir son caractère des Branchaud.

Marie-Noëlle monta à sa chambre et s'accouda à sa fenêtre, qui donnait vue sur le chemin. Les yeux dans l'eau, elle regarda passer les Lafleur avec leur fille Josette, tout endimanchée. «La chanceuse!» pensa-t-elle. Suivirent de pleines voiturées d'enfants: les Villeneuve, les Champoux, les Therrien. Toutes les familles du coin s'en allaient à la kermesse sauf la sienne – son père était trop casanier. Elle se jeta sur son lit et resta là à alimenter sa rancœur, à grogner.

En bas, sa mère l'entendait geindre tel un violon démantibulé.

* * *

Dans la voiture qui les conduisait au village, Marc, pressé de retrouver sa petite amie Francine, faisait écumer la belle jument blonde.

– À quoi bon nous presser? intervint Émile, le plus raisonnable des deux. On n'a personne à nos trousses.

Arrivé à l'écurie, Marc attacha Fanette à un anneau de fer et dit à son frère :

– Enfin! Nous v'là rendus. Je pensais que p'pa nous empêcherait de venir.

– Y a un moment dans la vie où y faut mettre ses culottes, ajouta Émile.

– Toé, Émile, le pissou, qui parle de même?

– Si je suis un pissou, toé, t'es un baveux.

Marc pouffa de rire.

– Ça t'en bouche un coin, hein? répliqua Émile.

– Asteure, Émile, pas un mot à p'pa. Si y apprend que j'ai fait suer sa jument, y va nous défendre de sortir. Après les fins de semaine de kermesse, je voudrais ben revoir Francine. Autre chose aussi, Valéda pis toé, vous êtes pas obligés de nous suivre sur les talons comme des chiens de poche.

– Ben donne-moé ma part d'argent que m'man t'a donnée.

– On se reverra icitte à onze heures.

Les garçons revinrent à la maison à la nuit tombée.

* * *

Dans la petite chambre en mansarde, Marie-Noëlle n'arrivait pas à fermer l'œil. Avec cette chaleur insupportable de juillet qui s'engouffrait sous les combles, les draps lui collaient à la peau. Elle ruminait sa déception.

Elle devait être la seule fille de dix-neuf ans à rester enfermée à la maison les soirs de kermesse.

Des attelages passaient. Un à un, les chevaux revenaient
à leur écurie et le bruit des fers à cheval sur le chemin
de gravelle montait à sa fenêtre ouverte quand un cri de
charretier attira son attention :

— Wôw !

— C'est pas moé qui détèle, dit Marc, c'est à ton tour.

Marie-Noëlle reconnut les voix de ses frères.

Elle se leva en douceur pour ne pas déranger Juliette, qui
dormait à son côté. Elle marcha pieds nus en tâtonnant des
mains afin d'éviter de buter sur la chaise à bras placée près
de la commode – le bruit risquerait de réveiller ses parents,
qui dormaient dans la chambre en dessous.

Une fois rendue à la fenêtre, Marie-Noëlle s'y accouda,
le front collé à la moustiquaire. Dans la nuit étoilée, elle
reconnaissait à peine l'attelage de famille dans la cour de
l'étable. Ses frères revenaient de la kermesse. Elle s'assit
sur le pied de son lit, le temps de laisser les garçons dételer
Fanette.

Marc et Émile montèrent l'escalier quatre à quatre.
Ils couchaient dans le même lit. Une fois les lumières
éteintes, les garçons, trop excités pour trouver le sommeil,
échangèrent entre eux leurs impressions de la soirée.

Marie-Noëlle, vêtue d'une longue jaquette rapiécée,
traversa le passage sur la pointe des pieds. Ils se retrouvaient
maintenant trois dans la même chambre. Marie-Noëlle s'assit
au pied du lit, les jambes pendantes. Elle avait retrouvé sa
bonne humeur.

— Devinez qui est venu pour me voir au salon ce soir ? chuchota-t-elle.

— On le sait pas ! Envoye, parle, insista Marc. Fais-nous pas pâtir. Après, je te dirai quelque chose.

— Dollard Bourgeois, dit-elle avec une grimace de dédain. Je vous dis que je l'ai expédié sur un chaud temps. C'est le beau Normand Champoux qui a été y dire que j'étais libre. Lui, j'y en devrai une.

Les garçons étouffaient leurs rires.

— Je suppose, dit-elle, que vous faites partie de son complot.

La grosse voix de leur père monta jusqu'à eux :

— Taisez-vous ou je monte !

Marc ferma la porte en douceur et les voix se firent plus discrètes.

— Tu sais qui s'est informé de toé à soir, à la kermesse ? demanda-t-il.

— Non ! Qui ?

— Ferdinand Martel.

— Qui ? insista Marie-Noëlle, incrédule.

— Ferdinand Martel, un gars du rang Sainte-Cécile. Tu sais, un grand brun avec des favoris ? Y porte toujours des lunettes de soleil pis on le voit souvent avec le bossu à Ménard. Y nous a dit qu'y s'attendait à te voir à la kermesse à soir.

Marie-Noëlle était subjuguée au point qu'elle ne pensait qu'à s'éclipser dans sa chambre pour assimiler tranquillement cette belle nouvelle.

— Ah oui ! s'exclama-t-elle. Ferdinand Martel a dit ça ? Pis qu'est-ce que t'as répondu ?

— J'y ai dit que la place des filles est à la maison.

Marie-Noëlle lui lança un regard de travers.

— Imbécile! Dis-moé ce qu'y t'a dit d'autre?

— Rien, rien pantoute!

Émile intervint.

— Arrête de la faire pâtir, pis dis-y tout.

— Y fait dire qu'y va t'attendre sur le perron de l'église dimanche prochain après la messe de neuf heures, pis qu'y aimerait ben que tu sois là.

— Ça se fait pas! Tu me verrais aller l'attendre comme une poire? J'aurais l'air de courir après lui.

— Moé, j'ai fait sa commission. Asteure, ce sera à toé de t'arranger comme tu veux.

— C'est ça, ça regarde que moé, dit-elle. Bonne nuit!

Sur ce, Marie-Noëlle s'éclipsa. Ce soir-là, elle avait enfin le droit de rêver. Elle connaissait le beau Ferdinand pour l'avoir déjà remarqué aux messes du dimanche, mais qui aurait pu imaginer que ce garçon l'avait dans l'œil? Avant, elle ne l'imaginait pas comme amoureux, mais, maintenant, sa tête en était pleine. D'un coup, elle le voyait partout.

La nuit était chaude. Marie-Noëlle repoussa ses couvertures sur Juliette et s'étendit sur sa paillasse, le cœur plein d'espoir.

* * *

Dans la chambre voisine, Marc s'informait.

— Parle-moé de ta Valéda, disait-il à Émile.

— C'est une fille discrète qui sait faire attention. Elle a l'air un peu gênée, elle baisse toujours les yeux quand je la regarde. Moé aussi, ça me met mal à l'aise, mais je me dis qu'avec le temps, elle va se dégêner.

— Je veux juste savoir si tu la trouves assez de ton goût pour continuer de la voir.

— Ben oui! Pis toé, ta Francine?

— Tu vas me trouver fou, mais c'est notre première rencontre pis déjà, je pourrais pu m'en passer. As-tu vu ses yeux gris-bleu et ses longs cils? demanda Marc. En plus, elle a de la jasette en masse, elle parle pour deux.

— Comme ça, tu vas la revoir, toé itou? demanda Émile, curieux.

— C'est pas à demander.

— L'as-tu embrassée?

— Ben sûr que oui! répondit Marc. On a marché jusqu'au bout du village, pis passé le dernier lampadaire, je l'ai embrassée.

Émile se demandait si Marc lui disait la vérité ou s'il n'était pas en train de crémer un peu le gâteau pour se donner de l'importance.

— Je te crois pas, dit-il.

— Pourquoi tu dis ça?

— Ça paraît dans ton air quand tu fais le jars.

En fait, Marc fabulait. Il inventait des exploits dignes d'un don Juan pour impressionner son frère. La réalité était tout autre. Quand il avait approché ses lèvres de celles de Francine pour l'embrasser, celle-ci avait redressé la tête et l'en avait empêché en mettant une main devant sa bouche. Ce refus aurait pu équivaloir à une insulte pour le garçon, mais Marc tenait trop à cette fille pour lui en tenir rancune. Pour se sortir de sa situation embarrassante et ne pas avoir l'air perdant, Marc avait saisi sa main et embrassé ses doigts.

— C'est à cause de tes parents? lui avait demandé Marc.

— Non, je t'aime ben, lui avait-elle répondu, mais je suis pas amoureuse.

«Pas amoureuse!» pensait Marc. Pourtant, en sa présence, ses yeux prenaient la couleur du ciel.

— Je vais te gagner, lui avait-il dit, tu verras!

Maintenant, depuis ce geste audacieux, Marc retenait ses élans. Il fondait en sa présence.

— Pis Francine, elle a voulu, elle? insistait Émile, le ton douteux.

— Oui! Mais tu parles de ça à personne, hein?

— Crains pas.

Émile, qui se comparait toujours à son frère, se demandait s'il n'était pas trop peu dégourdi. Il répondit:

— T'es chanceux, toé! Moé, j'ai demandé à Valéda pis elle a pas voulu. Elle a refusé gentiment.

— C'était à toé d'essayer, lui dit Marc. Demander, c'est courir après un non. C'est comme demander à p'pa la permission de sortir. La prochaine fois, tu l'embrasseras pis tu m'en reparleras.

— J'aime son petit côté timide, ça y donne du charme, pis je la trouve correcte de savoir garder sa place. Moé, je suis pas comme toé, rétorqua Émile, je sais vivre. Mais je me demande si de son côté Valéda m'a trouvé de son goût.

— T'es peut-être tombé sur une sainte-nitouche.

– Ben non, voyons! Qu'est-ce que tu vas encore penser?

Marc se mit à rire pour rien.

– Asteure qu'on peut prendre la voiture, dit-il, on va pouvoir sortir plus souvent. À la fin de la kermesse, y faudra leur donner rendez-vous ailleurs.

– En attendant, on ferait mieux de dormir parce que le matin va venir vite, pis p'pa est à la veille de nous crier: «Les gars, levez-vous!»

Marc s'endormit inquiet. Après avoir repoussé ses avances, Francine accepterait-elle de le revoir?

XIX

XIX

Gustave Branchaud savait faire fructifier son argent. Il était maintenant propriétaire de quatre blocs-appartements situés à Montréal.

Ce matin-là, il prenait le train pour Montréal comme chaque début de mois. Il se pressait, car il pleuvait. Il devait passer collecter ses loyers de septembre, mais il ne s'y rendrait jamais.

Depuis des années, Gustave souffrait des intestins et, ce matin-là, pendant le trajet, son mal devint insupportable. Arrivé à la gare Windsor, où son frère Rosaire l'attendait, il demanda qu'on le conduise chez un médecin, qui le fit hospitaliser d'urgence. Après plusieurs examens et analyses, le docteur Genest demanda à parler en privé avec l'abbé Rosaire Branchaud.

— Votre frère ne s'en tirera malheureusement pas, dit-il. Une tumeur importante bloque ses intestins. Vous feriez mieux de prévenir la famille que monsieur Branchaud n'en a pas pour longtemps.

— Combien de temps?

— C'est une question d'heures. Peut-être une journée et, avec un peu de chance, deux. C'est Lui en haut qui mène ça.

* * *

À la maison, Héléna sortait les vêtements propres des enfants et les déposait sur les dossiers de chaises.

— Allez! Dépêchez-vous si vous voulez voir votre père en vie.

— Vous venez pas avec nous autres?

— Gilbert et Cordélia vont vous accompagner. Moé, je prendrai le train suivant avec Juliette.

Héléna attira Marc dans le coin de la cuisine.

— Toi, Marc, une fois à Montréal, je tiens à ce que tu donnes des nouvelles de l'état de ton père à Marianne. Peut-être qu'elle aimerait régler le différend qui existe entre eux.

— Si Marianne décide d'aller voir p'pa, elle va l'achever. Y a jamais supporté qu'on prononce son nom dans la maison.

— Qui sait si sur son lit de mort y reviendra pas à de meilleurs sentiments?

— Je sais tout, vous savez, au sujet de son bébé pis de son mariage pressé. Dans le temps, vous me pensiez trop niaiseux pour deviner des choses, hein?

— Pas niaiseux, juste un peu jeune. Mais parle pus jamais de ça, s'il te plaît!

Héléna refusait de discourir sur des sujets tabous, et plus encore quand la réputation de sa fille était en jeu.

— Va, fais ce que je te dis. Marianne a le droit de connaître l'état de son père. Après tout, même si Gustave l'a reniée, elle reste toujours sa fille.

* * *

Marianne avait un compte à régler avec son père. C'était le temps ou jamais.

— Tu viens avec moé, Théodore?

— Non. Tu vas juste réussir à troubler ses derniers moments.

— Oui, comme lui a troublé toute ma vie.

— Fais ce que tu veux, mais moé, je pourrai jamais en venir là.

— C'est parce que nos pères sont ben différents. Le tien est bon, tandis que le mien a toujours eu le cœur dur comme la pierre et le poing prêt à frapper.

— Si ça peut te soulager, vas-y, défoule-toé, mais sans moé.

— Oui, j'ai besoin d'y dire ma façon de penser, qu'y sache avant son grand départ comme y a fait souffrir les siens, pis je pense que c'est à moé, l'aînée de la famille, que ça revient de lui régler son cas. Si je le fais pas aujourd'hui, après ce sera trop tard, pis je le regretterai toute ma vie.

— Mais c'est ton père, dit-il.

C'était justement ce que Marianne voulait lui faire prendre conscience.

— Un père comme lui…

Sa lessive terminée, Marianne poussa la cuve sous l'escalier, tout contre le coin à bois. Elle sentait le besoin d'être épaulée pour ce règlement de compte et souhaitait que Théodore lui infuse un peu de sa force. N'était-il pas son mari?

— Tu veux vraiment pas venir avec moé à l'hôpital?

— Je vois pas ce que j'irais faire là. Ce qui s'est passé entre ton père pis toé me regarde pas. Je vais rester à la maison pour m'occuper de Victoria.

– Viens, tu m'attendras dans le corridor.

– Non.

Marianne était frustrée. Elle aurait bien aimé que Théodore soit à ses côtés dans ces moments difficiles. Elle sentait ses jambes mollir, mais ce n'était pas le temps de flancher.

– J'irai seule, dit-elle, pourvu que p'pa ait encore toute sa conscience !

Marianne revêtit sa robe du dimanche, attacha ses cheveux et sortit. Elle courut prendre le tramway.

Durant le trajet, elle prépara ses reproches en reculant le plus loin possible dans le temps quand, toute jeune, son père lui écrasait un bras sur la table si elle avait eu le malheur de renverser sa tasse de lait, ou encore de répandre sa nourriture autour de son assiette, et cette fois où elle avait assisté aux petites vues et qu'il l'avait frappée en pleine figure, et quand il l'avait sortie de l'église aux funérailles de sa grand-mère. Elle lui dirait sans détour ce qu'elle pensait de lui, de la vie difficile qu'il avait fait endurer aux siens. Elle espérait ne rien oublier. Elle trouverait enfin une compensation à toutes les humiliations et à toutes les contraintes subies. C'était vital pour elle de mettre cartes sur table pour ensuite continuer sa vie qu'elle traînait comme un boulet depuis que son père l'avait reniée.

Tout le long du trajet, elle alimenta sa haine – il lui fallait surtout ne rien oublier. Elle sortit un mouchoir blanc de son sac à main et se moucha très fort.

Arrivée à destination, Marianne descendit du tramway, prête à affronter son père si seulement celui-ci était encore en vie.

Elle se présenta la première à l'hôpital. Elle monta au quatrième et, rendue à la chambre, elle s'arrêta sur le pas de la porte. On lui avait bien dit le quatre cent dix. Pourtant, l'occupant allongé sur le lit n'était pas son père. Elle se rendit à l'accueil s'informer à une jeune infirmière.

– Excusez-moé, garde. Je cherche la chambre de mon père, Gustave Branchaud.

– Monsieur Branchaud est au quatre cent dix.

– C'est que… merci !

Marianne se plaça près du lit de façon à ce que son père la voie bien, pour être certaine qu'il la toiserait, les yeux furieux, qu'il lui montrerait la porte qu'elle ne prendrait pas tant qu'elle n'aurait pas complètement vidé son sac. Elle n'avait plus peur, maintenant que c'était lui le plus faible des deux.

Son père était méconnaissable. Son ventre était bombé, son visage, enflé. Elle dut, pour le reconnaître, l'examiner attentivement. Seuls ses sourcils épais et un point noir au coin de son œil droit lui confirmaient que c'était lui. Il avait les yeux entrouverts et il ne bougeait pas. Voir son père couché sur un lit d'hôpital lui serrait les tripes. Lui qui par le passé exerçait un pouvoir suprême sur tous les siens, qui imposait une volonté de chef dans les assemblées municipales, aujourd'hui, il se retrouvait impuissant, à la merci du personnel soignant. C'était pitié de voir son père perdre la partie, de voir sa vie sur le point de culbuter dans l'éternité. Marianne le regarda, muette, la bouche douloureuse. Sa rancune s'effaça. Son cœur battait à grands coups. Elle s'avança péniblement, les jambes sciées, encore plus près. Il avait les yeux dans le vague.

— Bonjour, papa!

Rien. Elle prit sa main. Il semblait inconscient.

— Vous m'entendez?

Marianne ressentit une légère pression des doigts, mais c'était sans doute son imagination qui lui jouait des tours.

Une larme glissait sur la joue fripée de son père. Marianne l'essuya de son doigt.

Jusque-là, elle n'avait jamais vu son père pleurer. Celui-ci n'avait jamais eu d'émotions. Sa douleur au ventre devait être insupportable pour lui arracher une larme.

— Voulez-vous que j'appelle la garde? Elle pourrait vous soulager. Icitte, y ont des injections contre la douleur.

Gustave fit non de la tête. Marianne était abasourdie, son père l'entendait, il avait toute sa connaissance. Elle se mit à sangloter sans savoir pourquoi. Que lui arrivait-il tout à coup? Quel était ce revirement inexplicable? Elle n'était pas venue là pour faire du sentiment. Elle le regardait. Elle aurait voulu le serrer dans ses bras comme un enfant. Il essayait de parler.

— Ta mère…

Après deux petits mots, Gustave sembla épuisé.

— Mon oncle Gilbert devrait être là tantôt, avec ma tante Cordélia, dit Marianne. Les autres devraient arriver avec m'man, ce soir, par le train de sept heures trente.

Gustave fit non de la tête. Il ferma les yeux un moment, puis les rouvrit et, comme s'il avait un regain de vie, il reprit calmement sa phrase inachevée.

— Ta mère était correcte. Dis-y que je la reverrai de l'autre bord, pis que là, j'y dirai tout ce que j'y ai pas dit quand c'était le temps, qu'elle a été une femme et une mère parfaite pis que j'y demande de me pardonner mon caractère violent.

— Oui, p'pa! Vous y direz vous-même. Elle va être là, tantôt.

— Tantôt, c'est moé qui serai pus là. Fais-y la commission. Que le bon Dieu prenne soin d'elle, pis de toé aussi, ma fille.

C'était la première fois que son père la reconnaissait comme sa fille. Marianne se demanda si la lettre qu'elle lui avait écrite à la naissance de Victoria l'avait fait réfléchir.

Cette fois, elle sentit bien la main de son père presser légèrement la sienne. Un nœud se formait dans sa gorge.

— Je m'excuse pour tout, p'pa.

Elle venait rendre une dernière visite à son père avec l'intention de l'engueuler, de lui cracher sa haine en plein visage et, sans trop comprendre pourquoi, elle était là qui s'excusait, qui se réconciliait avec lui, et une grande paix envahissait son âme.

Puis, son père la regarda sans s'exprimer, dans un silence absolu.

Soudain, il se mit à s'agiter et à se tordre de douleur. Il n'en finissait plus de mourir; il n'avait jamais su courir. Son agonie dura trente minutes, trente minutes de soubresauts et de spasmes horribles. Comme Marianne allait embrasser son père sur le front, celui-ci échappa sa main. Gustave s'éteignait avant l'arrivée des siens. Marianne ferma ses yeux.

Une infirmière entra.

– Une petite piqûre, monsieur Branchaud?

Marianne fit non de la main.

– Ce sera pas nécessaire, garde. C'est fini.

L'infirmière prit son pouls, mais ce fut pour rien. Déjà, la pièce s'imprégnait d'une odeur de mort.

– Le médecin va passer tantôt pour confirmer le décès, dit-elle.

– Je vais rester avec mon père en attendant l'arrivée de ma famille.

Dans l'attente des siens, Marianne eut le temps de réaliser sa chance d'avoir accompagné son père dans son dernier voyage et d'avoir rétabli la paix avec lui.

* * *

La famille entra dans la chambre. Héléna regarda froidement le corps de son mari. Elle ne versa pas une larme. Elle ouvrit la porte de la penderie et fouilla la poche du pantalon qui ne servirait plus. Elle trouva un peu d'argent. Elle se retira dans le passage pour compter. Gustave était décédé sans avoir eu le temps de collecter ses loyers.

Deux infirmiers s'affairèrent autour de la dépouille. Ils repartirent en emportant le corps de Gustave.

Marianne confia à sa mère :

– Avant de mourir, p'pa a eu un regain de vie. J'ai pensé qu'il allait mieux. Il m'a parlé de vous. Il s'est excusé. Y fait dire qui va vous dire de l'autre bord tout ce qui vous a pas dit ici-bas.

– Me dire quoi?

– J'y ai pas demandé. J'ai pensé que vous le saviez. Y m'a dit que vous avez été une épouse et une mère ben correcte.

Héléna restait de marbre. Les dernières paroles de Gustave ne l'émouvaient pas. Ç'aura pris un quart de siècle à son mari pour reconnaître ses torts. Gustave était-il sincère ou son intention était-elle d'acheter son ciel par un pardon de dernière heure?

Pourtant, Héléna ne lui en tenait pas rigueur.

– Y le reconnaît un peu tard. Après vingt ans de vie commune, y est ben temps de faire amende honorable.

Marianne s'emporta:

– Avant de mourir, p'pa s'est rétracté, pis vous voulez même pas y accorder votre pardon?

– Rappelle-toé, quand tu me disais que ton père était pas vivable. Aujourd'hui, une petite phrase de lui pis tout est oublié? C'est ben correct vu que c'est ton père, mais moé, je me garde le droit de penser ce que je veux de lui.

Héléna songeait à sa vie manquée.

– C'est moé, dit-elle, qui ai passé ma vie avec lui, pis ce qui s'est passé entre votre père pis moé, ça regarde que moé. Pis asteure que c'est fait, que le bon Dieu ait son âme!

Déjà, Héléna avait la tête ailleurs. Elle demanderait à Gilbert de collecter les loyers et elle profiterait de son voyage à Montréal pour habiller les enfants chez Dupuis & Frères. Elle avait l'intention d'habiller tous les enfants de noir pour l'enterrement. Même Marianne aurait besoin d'une robe noire.

Comme Héléna avait porté le deuil toute sa vie avec sa robe-soutane noire, elle profiterait de l'occasion pour s'acheter une pièce de tissu blanc. Elle porterait désormais du blanc et une petite voilette noire. On jaserait dans la place de voir la veuve de Gustave Branchaud porter le demi-deuil, mais elle se fichait des commérages. Ne portait-elle pas le grand deuil de ses sentiments depuis presque vingt-cinq ans?

* * *

Marianne monta les deux escaliers qui menaient à son logis. Théodore la reçut avec Victoria dans les bras. Théodore voyait bien qu'elle avait pleuré. Marianne avait les yeux rougis. Il passa un bras autour de ses épaules.

– Raconte, Marianne. Ç'a pas dû être facile. Tu t'es enfin vidé le cœur?

Marianne ne répondit pas.

– Asteure, lui dit Théodore, tu vas retrouver ton beau sourire.

Marianne se jeta dans ses bras et éclata en sanglots.

– P'pa est mort.

Et elle s'écria: «Je voulais tant qu'il m'aime!»

* * *

De retour à la maison, la veuve laissa entrer les enfants et ferma la porte sur ses talons.

Elle jeta un regard sur l'horloge. À sa surprise, les aiguilles s'étaient arrêtées à l'heure exacte où le cœur de

Gustave s'était arrêté de battre. Même l'horloge, trop habituée d'obéir, attendait les ordres.

Gustave laissait à sa suite Marianne, Marie-Noëlle, Marc, Émile, Louis et Juliette. Ils étaient tous beaux. Juliette, moins jolie, était à l'âge où les filles se défont, mais elle était remarquable par sa sagesse et sa démarche fière. Héléna les regarda en pensant qu'elle avait réussi à bien les élever.

* * *

L'ambiance de la cuisine était tiède et caressante. Sa teinte verte n'avait plus d'éclat. Les murs n'avaient jamais eu de peinture du temps d'Héléna.

En partant, Gustave avait emporté avec lui le poids lourd qu'Héléna traînait sur ses épaules depuis son mariage. Maintenant, une nouvelle vie s'ouvrait devant elle. «Après les trois jours de veille funèbre, pensait-elle, je vais repeindre la cuisine jaune soleil pis je vais habiller toutes les fenêtres de voilages blancs.»

Il lui fallait d'abord se confectionner un deux-pièces et ça pressait. Sa robe noire était déformée par les ans et ses sept grossesses. Elle en avait besoin pour le lendemain, alors que le corps de Gustave serait exposé dans le salon de sa maison. Au pis aller, elle travaillerait jusque tard dans la nuit.

Des pas sur le perron attirèrent son attention. C'était l'abbé Jacques qui arrivait avec sa petite malle. Après le décès de Gustave, il venait s'incruster chez elle pour quelques jours. Il offrit ses sympathies. Héléna resta obstinément debout près de la porte et n'offrit pas de chaise.

L'abbé ordonna aux enfants:

— Les jeunes, allez tous vous coucher. Les prochains jours vont être très chargés.

Aucun ne bougea, comme si personne n'avait entendu.

— Laissez, reprit Héléna. Je suis capable de m'occuper de mes enfants, pis y sont pus des bébés pour se coucher à l'heure des poules.

— Capable de les élever? Pourtant, quand votre Marianne a fait sa crise de larmes au décès de maman, vous n'êtes pas intervenue.

— Marianne avait droit à son chagrin. Votre mère était sa grand-mère.

Gilbert entra sans frapper. Il suffisait qu'il soit là pour qu'Héléna soit heureuse. Gilbert faisait partie de son petit univers. Toutefois, elle se défendait de l'aimer, elle refusait d'entrer de nouveau dans cette famille.

En voyant son frère Jacques, Gilbert expliqua, comme s'il devait lui rendre des comptes:

— Je suis passé voir si notre belle-sœur avait des commissions au village, je dois m'y rendre tôt demain.

Sur ce, Gilbert s'assit.

Héléna avait le pressentiment que l'abbé Jacques venait pour la surveiller.

— Préparez-moi un lit, dit-il.

Héléna bouillait intérieurement. Après la mort de Gustave, l'abbé Jacques ne viendrait pas tout gérer dans sa maison. Il tentait encore de se rendre maître de la maisonnée, comme s'il avait des droits sur la famille de son frère. Mais Héléna n'était plus la petite femme docile qu'elle avait été. Sans être effrontée, elle refusait de laisser l'abbé Jacques s'immiscer dans sa vie de famille.

— Toutes les chambres sont remplies, dit-elle froidement. Et puis, ce serait inconvenant que vous passiez la nuit icitte.

— Vous êtes plus affable avec mon frère Gilbert, dit-il.

Sa riposte fit sourire Gilbert.

— Votre frère, reprit Héléna sèchement, couche pas icitte. Vous allez devoir aller chez Cordélia.

— Chez Cordélia aussi, la maison est pleine.

— Alors allez au presbytère, lança Héléna d'un ton exaspéré.

L'abbé Jacques sortit sans saluer. Gilbert suivit à son tour.

Héléna traîna sa machine à coudre au centre de la pièce, puis étendit le tissu de toile sur la table. Elle tailla et tailla en contournant la table jusqu'à ce que les ciseaux cessent leur bruit crissant. Elle s'assit à sa machine à coudre et, tout en cousant, elle se demandait quand l'abbé Jacques allait-il comprendre qu'il n'était pas le bienvenu dans sa maison. Elle cousit, l'œil à peine ouvert, tirant l'aiguille jusqu'au bout de la nuit et, une fois les coutures surpiquées, il ne lui resta plus que le bord de la jupe à ourler à la main.

* * *

Tôt le lendemain matin, Héléna, assise au pied du lit, bâilla à s'en décrocher la mâchoire. Elle se rua à la cuisine et, avant le déjeuner, elle coupa une longueur de fil blanc, mouilla le brin entre ses lèvres et le poussa dans le chas de l'aiguille.

* * *

Le lendemain, Gilbert frappa deux petits coups et entra. Il figea en voyant Héléna, le corps aussi désirable qu'à quinze ans. Avec l'âge, elle avait gagné un peu de poids sans perdre sa taille élancée, juste de quoi arrondir ses formes. Sa peau était restée ferme et elle avait conservé sa belle bouche triste. Elle était vêtue de blanc, sa jupe aux genoux épousait la ligne de ses fesses rondes et laissait voir ses longues jambes. Gilbert restait là, planté devant elle, à la détailler de la tête aux pieds. Un éclair passa dans ses yeux.

— Ces vêtements vous vont à merveille, dit-il.

— Je peux en dire autant des vôtres ! répondit-elle du tac au tac. Mais vous, c'est pas nouveau, vous avez toujours été élégant.

Gilbert portait un habit de toile beige sur une chemise à fines rayures beiges et noires, des bottines en cuir sable et la sempiternelle cravate noire que tous les hommes portaient en signe de deuil.

De nouveau, l'abbé Jacques entra sans frapper. Il croisa Gilbert sur le pas de la porte.

— Je passais comme ça, dit Gilbert en sortant.

Jacques dévisagea Héléna.

– Qu'est-ce que signifie cet accoutrement? Vous ne portez pas le grand deuil? demanda-t-il en regardant sa belle-sœur d'un œil torve.

Héléna savait que ça viendrait, qu'il lui en ferait le reproche, mais elle ne se sentait pas en mesure de l'écouter.

– Le deuil, ça se porte dans le cœur, pis je peux vous dire que je l'ai porté toute ma vie.

– Qu'est-ce que vous voulez insinuer? Gustave a été un homme exemplaire, un bon catholique qui a fait vivre sa famille honorablement. Vous ne pouvez pas dire le contraire.

– Je dis pas le contraire, c'est pas à moé de le juger, mais ce que je fais regarde que moé. Pis je veux pas de sermon dans ma maison, je suis capable de me diriger tout'seule.

– C'est inacceptable! Les Branchaud sont des gens respectables, une famille de prêtres, et je ne laisserai pas une Pelletier les rabaisser. Je vous somme d'aller mettre votre robe noire immédiatement.

L'abbé Jacques ne cessait de la surveiller. Pour comble, il se permettait de rabaisser les Pelletier, sa famille. C'en était trop. Héléna sentait une vapeur lui monter à la tête. Elle explosa:

– Vous me sommez? De quel droit? Je suis chez moé dans cette maison. Pis sachez qu'icitte je suis ni sous vos ordres ni sous l'influence des cancans de la place. Gustave parti, c'est moé qui mène ma vie comme je l'entends.

L'abbé Jacques, insulté, sortit en coup de vent. Mais où allait-il? Ce n'était pas l'heure du train .

– Vous allez pas au village à pied?

Pas de réponse.

De la fenêtre au-dessus de l'évier, Héléna surveilla discrètement le vicaire. Il se dirigeait vers la maison de Gilbert d'un pas décidé, probablement dans le but que celui-ci intervienne en sa faveur.

Héléna attacha un tablier sur ses reins et s'affaira au déjeuner. Elle devait se presser, le corps de Gustave serait bientôt là.

* * *

On exposa le mort dans le salon.

Héléna s'en approcha, ne le toucha pas, ne l'embrassa pas, comme lui ne l'avait jamais embrassée de son vivant. Elle resta debout devant la tombe, le visage froid, sans sentiments. Toute sa vie matrimoniale défilait devant ses yeux et elle sentait son malheur s'en aller doucement. Elle avait maintenant ce qu'elle voulait : des enfants qui étaient ses plus beaux bijoux. Il avait fallu près de vingt-cinq ans de sa vie pour enfin atteindre un certain bonheur. Un sentiment de bien-être l'enveloppait. Elle se retira l'âme tranquille, délivrée.

* * *

Un petit chemin gris menait au cimetière. La foule suivait le cercueil jusqu'à un monument en pierres où les parents de Gustave reposaient d'un sommeil éternel. Une pluie tiède tombait et l'eau dégoulinait en petites rigoles jusque dans le fossé. Six porteurs déposèrent la tombe au-dessus du trou. Les six orphelins, mêlés aux frères et sœurs de Gustave, regardèrent descendre le cercueil. Héléna, en robe blanche et mantille noire, sous un grand parapluie, se tenait devant le monument de sa petite Alice, qu'elle voulait croire endormie. Elle ne versa pas une larme pour Gustave – elle les gardait pour son enfant.

Le prêtre tenta de consoler les proches du défunt en leur faisant comprendre qu'il fallait inévitablement descendre sous terre pour monter là-haut. Ensuite, il récita une courte prière et la foule se dispersa.

Au retour du cimetière, Gilbert prit le bras d'Héléna, qui se laissa conduire. Elle avait le visage pâle, la larme à l'œil. Son cœur était resté derrière avec sa petite Alice. Les enfants les suivirent, silencieux, jusqu'au presbytère, où un repas copieux attendait la famille immédiate.

Pendant que tout le monde se sustentait, l'abbé Jacques, de son œil observateur, surveillait discrètement Gilbert et Héléna, assis côte à côte.

Après le repas, tout le monde monta dans la voiture à trois sièges et rentra à la maison. Au retour, les enfants ne parlèrent pas. Que ressentaient-ils du départ de leur père ? Gustave avait probablement été un pilier pour eux, celui qui leur assurait une stabilité. Avaient-ils oublié sa rigueur ? Ses coups ? Héléna n'osait pas leur demander de mettre leurs sentiments à nu ; ce serait les rendre mal à l'aise ou encore les inciter à dire des méchancetés au sujet de leur père disparu. Ses enfants refoulaient peut-être leur peine, tandis qu'elle ressentait une grande paix l'envahir.

Arrivés à la maison, les enfants se ruèrent en dedans, sauf Marc, qui attendait pour dételer Fanette. Gilbert prit

Héléna par la taille pour l'aider à descendre de voiture. Elle lui glissa dans les bras et elle sentit la pression de son corps contre celui de Gilbert, qui la retenait pour l'empêcher de tomber. Elle crut un court moment qu'il la serrait contre lui et un frisson la parcourut.

— Maintenant, j'ai le droit de vous aimer, dit-il.

Elle lui dit, comme un secret :

— Si vous avez des sentiments vrais, y faut les garder en dedans de vous, les cacher comme un trésor.

— Pourquoi, maintenant que vous êtes libre ?

— Pour ben des raisons.

— De votre côté, Héléna, éprouvez-vous des sentiments pour moé ?

— C'est pas l'endroit ni le moment.

La réponse n'était pas claire. Gilbert ne savait pas exactement ce que ces paroles signifiaient. Il fila à sa maisonnette en emportant l'image de celle qu'il aimait.

Héléna entra lentement chez elle. Gilbert l'avait serrée contre lui et un frisson l'avait parcourue. Depuis quand ne l'avait-on pas câlinée ? La dernière fois, c'était alors qu'elle était en communauté, quand Henri avait bravé l'interdit et qu'il s'était fait passer pour son frère, il y avait de cela un bon quart de siècle. Elle l'avait repoussé, mais, aujourd'hui, c'était différent. Gilbert, c'était Gilbert. C'était la tendresse, la générosité, le bonheur. Mais il leur fallait être prudents, l'abbé Jacques les tenait à l'œil comme s'ils étaient des enfants.

XX

Après le départ de Gustave, la vie reprit bien différemment d'autrefois chez Héléna, devenue chef de famille. Elle décida de placer Juliette comme pensionnaire au couvent du village. Ensuite, elle se jeta corps et âme dans le grand ménage de la maison. Elle peignit sa cuisine en jaune, les armoires, la table et les chaises en blanc. La belle vaisselle en porcelaine se retrouva dans le bahut. Et quand tout fut terminé, elle confectionna des rideaux à volants blancs – depuis le temps qu'elle en rêvait! Puis, elle acheta un prélart beige, ce qui n'était pas un caprice. Devant le poêle, à force de piétiner sur place, le couvre-plancher usé laissait voir des plaques de goudron noir. Une fois satisfaite de sa cuisine, elle fit installer le téléphone. Héléna s'attaqua enfin à sa chambre. Elle acheta quatre rouleaux de tapisserie à minuscules fleurs roses. Elle peignit le plafond et les boiseries en blanc, puis elle habilla la fenêtre d'un rideau de dentelle blanc. Sur le lit, elle disposa une courtepointe rose et blanc. Elle se procura un beau pot à eau, qu'elle déposa sur le marbre veiné de vert de la coiffeuse.

Le ménage de ces deux pièces terminé, Héléna se confectionna deux robes de tons clairs et jeta sa robe-soutane au feu.

* * *

Le matin, dans leur lit à deux places, Marc s'en prenait à son frère Émile. Il le secouait dans tous les sens.

— Réveille-toé, Émile Branchaud! À matin, c'est rendu ton tour d'aller faire le train.

Émile, abrié jusqu'au cou, se laissait ballotter sans réagir, comme un mort. Marc insista:

— Lève-toé, espèce de grand flanc mou!

En bas, Héléna entendit Marc qui s'en prenait à son frère. C'était tout nouveau, un pareil malentendu entre eux. Habituellement, Marc et Émile s'entendaient bien. Héléna ne voulait pas que leur mésentente persiste ou s'aggrave. Elle s'avança au bas de l'escalier, étira le cou et appela:

— Marc! Émile! Descendez déjeuner.

Les garçons se présentèrent à la table de mauvaise humeur; Marc à cause du train et Émile mécontent de s'être fait réveiller.

Héléna distribua les rôties.

— Je veux pus de disputes dans ma maison, j'en ai assez supporté par le passé. Compris?

— C'est à cause de lui, expliqua Émile. Avant de me faire réveiller, j'étais de bonne humeur.

Marc bougonna:

— Comprenez-vous, m'man, que je suis écœuré du train pis que je veux pas prendre la relève sur la ferme? Ça fait assez longtemps que j'en ai ras le bol de la grange pis du travail aux champs. Quand p'pa était là, j'avais pas le choix, j'aurais mangé des coups de pied au derrière. Je passais ma rage sur la pioche pis le râteau. Mais asteure que p'pa est parti, fini de faire un travail que je déteste!

– C'est ben dommage. Une si bonne terre! Et si vous continuiez de vous partager le train, chacun votre jour, comme vous le faites?

– Non! Je veux apprendre un métier, peut-être menuisier.

– Vous pouvez pas patienter encore une couple d'années, le temps que Louis vieillisse un peu? Peut-être que lui sera intéressé.

– Pour moé, c'est non! dit Marc. Si Émile veut, lui, y a ben beau.

– Moé non plus, ajouta Émile.

– Pour aujourd'hui, allez faire votre train comme si votre père était encore là. Vous allez pas laisser les bêtes mourir de faim? On reparlera de tout ça tranquillement, cet après-midi.

Louis suivit ses frères à l'étable.

Gilbert entra. Héléna, assise au bout de la table, le menton appuyé sur ses mains jointes, semblait bien loin dans ses pensées.

Elle leva un regard inquiet vers lui.

– Vous vous ennuyez? demanda-t-il.

Héléna lui rapporta le démêlé qu'elle venait d'avoir avec Marc et Émile.

– Y est pas question de vendre la terre, dit-elle. Je dois trouver une solution. Je pense que Louis sera intéressé, mais, pour le moment, je le trouve un peu jeune pour prendre une pareille charge sur ses épaules.

Gilbert proposa alors de ramener Marianne et Théodore à La Plaine. Héléna devint muette. Ses pensées se bousculaient dans sa tête. Depuis le départ de Marianne, elle rêvait d'avoir sa fille et sa petite-fille près d'elle. L'idée la travaillait fort en dedans. Marianne, enceinte d'un deuxième enfant, serait en sécurité à ses côtés. Héléna se rappelait la naissance de Victoria, que la distance avait compliquée.

— Je peux pas passer la terre des Branchaud aux Desrochers, dit-elle, quand j'ai encore Louis à établir.

— Si Théodore était intéressé, reprit Gilbert, vous pourriez lui louer la terre pour cinq ans. Ça donnerait le temps à Louis de vieillir.

— Y a un autre problème aussi : le retour de Marianne pourrait pas se faire sans causer un gros scandale dans la place.

— Vous aurez rien qu'à rajeunir Victoria d'un an. À trois ans, une année de moins ou une de plus, ça paraîtra pas. Et pis, laissez donc les cancans de côté. Avec le temps, les gens ont déjà oublié cette histoire.

— Les gens ont la mémoire longue quand y s'agit de cancans. Je voudrais pas que la petite se fasse traiter de bâtarde. Pis reste à savoir si Marianne pis Théodore seraient intéressés. Y faudrait cohabiter. Avant, je vais en discuter avec les garçons. Je veux régler leur désaccord avant que ces deux-là se prennent aux cheveux. Y s'entendaient si ben avant.

Gilbert profita du temps que les filles dormaient et qu'ils étaient seuls pour faire des avances à Héléna.

— Si ça marchait, vous pourriez laisser la maison à Marianne et venir habiter avec moé. Je serais prêt à agrandir la mienne pour vous recevoir.

– Vous savez comme moé, Gilbert, que ça se fait pas. Je serais la honte de la famille.

– Avant, on pourrait passer devant le curé.

– Votre proposition m'honore, répondit Héléna, émue de son offre, mais je penserai à tout ça seulement quand les enfants seront partis de la maison, pis c'est pas demain la veille ; ma Juliette a juste treize ans.

– J'aime vos enfants comme s'ils étaient les miens, dit-il. Pis je serais prêt à les prendre avec vous.

* * *

Pendant le dîner, la conversation du matin s'étirait à savoir qui prendrait la ferme quand une visite inattendue vint chambouler le cours des événements. Un attelage venait au trot et entrait dans la cour.

– Qui c'est ? s'informa Héléna.

– Vos sœurs, répondit Gilbert.

– Ah ben ! Pas Céline, Blanche pis Agathe ! Y a long-temps qu'on n'a pas été toutes réunies.

Rien ne pouvait faire davantage plaisir à Héléna que la visite de ses sœurs. L'excitation lui provoqua un frisson qui la traversa de la tête aux pieds. Elle se précipita à l'extérieur et s'écria :

– Quelle belle idée, les filles ! Attachez votre cheval au piquet pis amenez-vous. Vous arrivez juste pour le café.

Les femmes sautèrent au sol l'une après l'autre, toutes joyeuses. On s'embrassait, on riait. Blanche attacha la bête.

— Asteure que les enfants sont partis de la maison, dit-elle, y a pus rien qui nous retient. Les hommes ont pas voulu suivre. C'est pas nous qui allons nous en plaindre ; tout le long du chemin, on a ri comme des folles.

La cuisine sentait la peinture fraîche. Héléna versa le café dans les tasses en commençant par Gilbert. Blanche buvait à petites gorgées en grimaçant.

— Ton café a pas le même goût que le mien, dit-elle.

— C'est à cause de l'eau qui est sulfureuse, expliqua Héléna. Les premiers temps, j'ai eu de la misère à m'habituer, mais j'ai dû m'y faire. Tiens, ajoute un peu de sirop d'érable pour remplacer le sucre. Ça devrait y enlever le goût d'œufs pourris.

Céline s'exclama d'admiration :

— Que c'est joli icitte ! C'est pus la même cuisine.

— C'est juste un début. Encore un peu de temps pis la maison va y passer au grand complet.

— Y est ben temps que tu te gâtes un peu, ajouta Blanche en lui pinçant la taille. Pis cette robe ? Ça te rajeunit de porter des vêtements de couleur. Je te regarde, là, t'as encore tout ce qu'y faut pour plaire à un homme.

— Tais-toé donc, lança Héléna à la rigolade.

Gilbert se sentait de trop. Il se leva.

— Je vais donner un peu d'avoine à votre cheval, dit-il, pis je vais le mener à l'ombre sous l'appentis.

Sitôt Gilbert parti, Agathe murmura, curieuse :

— Toujours aussi aimable, notre beau-frère ! Y vient te voir souvent ?

— Comme avant la mort de Gustave, pas plus, pas moins. Y est toujours chez lui dans cette maison, vu que c'est icitte qu'y est né pis qu'y a grandi.

— Ça jase dans la place, reprit Agathe. Les gens disent que si tu portes le deuil juste avec une voilette, c'est pour cacher ta joie d'être veuve. Pis y racontent aussi que tu vas refaire ta vie avec Gilbert.

Héléna sursauta.

— Jamais !

— Pourquoi ?

— J'ai rien aimé du mariage sauf mes enfants, pis asteure que je les ai, je veux rien de plus.

Héléna avait assez souffert par le passé sans, de surcroît, se tourmenter avec des cancans sans fondement.

— Qu'est-ce que tu dis de ces cancans-la, toé ? la questionna Blanche, le ton moqueur.

— Les gens ont beau parler, répondit Héléna. J'ai choisi comme solution la bonté.

— Quelle faiblesse ! murmura Céline.

— Comme du temps de Gustave, reprit Blanche. Pis lui, y en profitait pour t'écraser. Personne s'entendait avec lui. En tout cas, moé, j'aurais pas pu le supporter.

Héléna s'amusait à lécher son doigt pour recueillir les miettes de pain tombées sur la table et les porter à sa bouche.

— Je vous dis pas que c'était facile, mais, une fois marié, on fait pas l'échange. Pis là, je suppose que ce sont les Branchaud qui jasent dans mon dos ? L'abbé Jacques me lâche pas d'une semelle. Tu pourras leur dire, à ces gens, que je referai pas ma vie avec personne.

— Ça vient pas des Branchaud, objecta Agathe. J'ai entendu ça sur le perron de l'église.

— Changeons de sujet, intervint Céline. On est venues icitte pour passer un après-midi agréable pis en même temps pour prendre des nouvelles de toé pis des tiens.

Des pas sur le perron éteignirent la conversation.

La visite ne manquait pas chez Héléna depuis le départ de son mari. Quand Gustave était là, son regard dur faisait fuir les gens. Mais, depuis sa mort, la porte et le garde-manger étaient ouverts à tout le monde.

Héléna ouvrit. C'était Jeanne, leur cousine par alliance.

— Quand je vous ai vues arriver en gang, j'ai eu le goût de me joindre à vous. Mais à ce que je vois, c'est un caucus de famille. Je voudrais pas que ma présence vous mette mal à l'aise.

— Tu sais ben que non, Jeanne! protesta Héléna. Asteure que notre père a marié ta tante, tu peux te considérer de la famille. Approche-toé une chaise pis viens prendre un café avec nous autres. Ça me rend tellement heureuse de vous voir toutes icitte!

Les femmes abordèrent une multitude de sujets avant d'en arriver à la ferme.

— Maintenant que Gustave est parti, raconta Héléna, j'ai quelques embêtements avec les garçons.

— Quelles sortes d'embêtements? demanda Blanche.

— Ben, mes gars veulent tous les deux se clairer de la ferme. Peut-être que la charge est trop lourde pour leurs forces. En tout cas, y veulent pus rien savoir de la terre. Encore à matin, y se chicanaient! C'était à qui des deux ferait pas le train, pis moé, je sais pus trop quoi faire.

Le pire dans tout ça, c'est que moé non plus j'ai pas le goût de m'occuper du train pis de la culture. J'ai assez de mon ordinaire.

— À cinq, dit Blanche, toujours prête à badiner, on devrait être capables de te trouver une solution. Pis la solution, c'est le remariage, Héléna. Le re-ma-ria-ge!

La dernière réflexion, lancée à la blague, fit sourire les femmes. Céline suggéra:

— As-tu pensé à te débarrasser de tes bêtes?

— Ben oui, j'y ai pensé, dit Héléna, mais y faut ben se garder un cheval pour les déplacements, une vache pour le lait, des porcs pour la consommation pis des poules pour les œufs.

Ce fut au tour d'Agathe d'intervenir.

— Marianne pis Théodore seraient pas intéressés à revenir par icitte? Depuis le début de la crise, Théodore gagne petitement sa vie à Montréal.

— C'est ce que Gilbert m'a conseillé, mais comme j'ai pas fini d'élever ma famille, je sais pas si eux seraient intéressés à vivre à dix dans une même maison. Les jeunes couples ont besoin d'intimité. J'ai ben pensé à séparer la maison en deux côtés, mais les pièces seraient trop petites.

— Y pourraient se construire une maison à eux à côté de la tienne, suggéra Agathe. Comme ça, y auraient la paix, pis vous autres itou.

— Ce serait une grosse dépense à envisager.

Agathe, curieuse, s'informa:

— À l'âge qu'y ont, tes gars doivent être à la veille de se caser. Marc pis Émile ont-y encore leur blonde?

— Oui, toujours les mêmes. Mais rien de sérieux, je crois. Je peux quand même pas les pousser dans le dos pour qu'y quittent la maison. Pis admettons que leurs amours seraient sérieux, avant de s'engager, y leur faudrait un bon travail.

— Pis ta belle Marie-Noëlle?

La figure d'Héléna s'illumina.

— Celle-là, elle est en amour par-dessus la tête, dit-elle. Ferdinand, le gars de Gérard Martel, vient la voir au salon tous les bons soirs. Un garçon ben comme y faut, ce Ferdinand, pis poli avec ça, vous avez pas idée! Y part jamais d'icitte passé neuf heures.

Les femmes, bouche bée, échangèrent entre elles des regards pleins de sous-entendus. Qui ne connaissait pas la réputation de Ferdinand Martel, un buveur, un joueur, un menteur? Aucune femme toutefois n'osa mettre Héléna au courant des faits. Elle ne le croirait pas, elle avait une bien trop haute opinion de ce garçon.

— Pis c'est sérieux? osa Céline.

— Oui, ils parlent même de mariage.

Blanche, la plus audacieuse, risqua une réflexion:

— Je connais peu les enfants de Gérard Martel, mais je sais qu'y en a un qui a beaucoup fait parler de lui dans la place, pis c'était pas pour le louanger. On a même été jusqu'à raconter qu'y aurait fait un petit séjour en prison.

Céline mit furtivement un doigt sur ses lèvres pour avertir Blanche de ne pas parler.

Héléna doutait des dires de Blanche.

— Où t'as pris tes renseignements?

– Dans les petites paroisses, tu sais ce que c'est, tout le monde connaît tout le monde, pis ça jase.

Héléna resta sur ses positions. Un soupir gonfla sa poitrine.

– Y aura toujours des critiqueux, reprit-elle. Reste à trier le vrai du faux.

– Si j'étais toé, osa Céline, je glanerais quelques informations icitte et là avant que les amours aillent trop loin. Et pis tiens, parles-en donc au capitaine de milice, c'est lui le mieux placé pour tout savoir. Pis après, si ce Ferdinand est un garçon fréquentable, ben, bingo !

Héléna fit « chut », le doigt sur les lèvres pour mettre fin à la conversation lorsqu'elle entendit Marie-Noëlle descendre l'escalier.

XXI

Les mois qui suivirent, Héléna surveilla étroitement les fréquentations de ses garçons

Un de ces soirs où Marie-Noëlle et Ferdinand veillaient au salon, celui-ci eut une forte envie d'elle dans ses bras. Depuis qu'il la fréquentait, Ferdinand rêvait de la caresser, de l'embrasser, et, de son côté, Marie-Noëlle était éprise depuis leur première rencontre. Ferdinand se leva de sa berçante et, dans un état de nervosité extrême, il se mit à marcher dans la pièce, puis il s'arrêta net devant elle, posa un genou par terre, prit sa main et lui demanda :

— Marie-Noëlle, acceptes-tu de devenir ma femme ?

Marie-Noëlle, troublée, sentit son cœur s'emballer. Marier Ferdinand et fonder une famille avec lui était son plus grand rêve et il allait se concrétiser. Elle prit la tête de Ferdinand dans ses mains et plongea son regard dans le sien.

— Oui ! J'accepte. Je suis si heureuse, dit-elle, transportée de joie.

Ils échangèrent des « je t'aime » pour la première fois.

* * *

Héléna trouvait en Ferdinand le mari idéal pour Marie-Noëlle. Elle reconnaissait chez ce garçon de belles qualités : bien mis, avenant, poli, discret, il savait se retirer tôt pour ne pas déranger l'heure de coucher des Branchaud. La seule ombre au tableau était son travail irrégulier — ce qui ne semblait pas un gros problème, Ferdinand roulait carrosse.

— Cet automne, Marie-Noëlle, tu devras te préparer un trousseau, y reste seulement cinq mois d'ici à ton mariage. On pourrait commencer par te tailler une courtepointe. J'ai quelques retailles dans le grenier qui pourraient te servir. Si tu montais les chercher pendant que je prépare le dîner? Tantôt, Émile va encore arriver avec l'estomac dans les talons.

— Émile est chanceux d'avoir un travail si près de la maison.

Émile travaillait comme apprenti boucher chez Jos Lafleur, qui ne cessait d'agrandir son magasin. Marc, lui, travaillait comme charpentier à L'Assomption. Il venait de s'acheter un camion pour transporter ses outils. Et Marie-Noëlle allait se marier bientôt. Il ne resterait que les deux plus jeunes à la maison, Louis et Juliette.

Le dimanche suivant, en pleine nuit, le téléphone sonna trois coups chez les Branchaud. Héléna décrocha à tâtons le récepteur et répondit d'une voix mal réveillée. C'était une voix étrangère au bout de la ligne. Une femme demandait à parler à Marie-Noëlle.

— Marie-Noëlle dort. Qu'est-cé que vous y voulez?

— Je suis la mère de Ferdinand. Je m'excuse de vous déranger en pleine nuit, mais je suis morte d'inquiétude. Ferdinand est pas encore rentré. Y serait pas chez vous, par hasard?

— Non, y part toujours tôt.

— Je me demande si y peut avoir eu un accident à son retour. Avec ces nouvelles machines, on sait jamais, hein ? Y faut dire que, depuis quelque temps, Ferdinand rentre de plus en plus tard. V'là ce que c'est, madame, quand le père est parti, d'élever des enfants seule !

Marie-Noëlle, réveillée par la sonnerie, se tenait à deux pas de sa mère, impatiente. Les gens n'appelaient pas en pleine nuit pour rien.

— Je vous passe Marie-Noëlle, dit Héléna.

— C'est pour toé.

La femme répéta à la fille ce qu'elle venait de dire à la mère.

— Vous êtes certaine que Ferdinand est pas dans son lit ? insista Marie-Noëlle. Y est parti à neuf heures en me disant qu'y s'en allait se coucher parce qu'y devait se lever tôt demain matin pour son travail.

— Quel travail ? Son lit est pas défait.

— Je vais demander à mon frère Marc si y veut venir voir avec moé où y peut se trouver.

— Faites donc ça pour moé, pis passez donc me donner des nouvelles.

Marie-Noëlle monta l'escalier rapidement et entra dans la chambre des garçons. Elle secoua Marc.

— Lève-toé, Marc. J'ai besoin d'un chauffeur.

Marc grogna.

— Laisse-moé dormir.

— Non, y faut que j'aille voir où se trouve Ferdinand. Y est parti d'icitte à neuf heures pis sa mère vient de m'appeler pour me dire qu'y est pas rentré. Elle se fait un sang de punaise, la pauvre.

Marc s'étira ; il n'arrivait plus à se réveiller complètement. Il marmonna :

— Y est quelle heure ?

— Quatre heures du matin.

— Quatre heures ! Tu me réveilles en pleine nuit ? T'es folle ou quoi ?

— Je suis ben inquiète. Viens donc ! S'il te plaît, Marc ! le supplia Marie-Noëlle.

Le garçon émit un long soupir.

— Ça va, dit-il. Laisse-moé le temps de m'habiller pis je descends. Va m'attendre en bas.

Marie-Noëlle se faisait du mauvais sang en attendant Marc.

Ils sortirent en pleine nuit et montèrent dans le camion.

— Roule pas trop vite, Marc. Je dois surveiller les deux côtés du chemin. Qui sait si Ferdinand est pas à moitié mort dans un fossé ?

— Arrête de t'en faire avant de savoir si y est arrivé quelque chose de grave. Tiens, regarde. Si je me trompe pas, c'est son char qui est là, dans l'entrée de cour de son frère.

— On dirait ben ! Enfile, je vais aller voir en dedans.

Du perron, Marie-Noëlle pouvait distinguer quatre hommes, dont Ferdinand, attablés et jouant aux cartes devant quantité de bouteilles de bière vides. Les pas sur le perron devaient les avoir surpris. Les hommes se levèrent d'un bond et ramassèrent rapidement les mises d'argent étalées devant eux.

Ce fut, pour Marie-Noëlle, comme un coup de fouet en travers du visage. Elle frappa au carreau. Marc se tenait derrière elle.

En entendant frapper, Ferdinand souleva le rideau et se colla le nez à la vitre. En apercevant Marie-Noëlle, son regard, assez doux d'habitude, prit une expression haineuse devant cette visite désagréable. Il entrouvrit la porte.

– Toé, icitte? Qu'est-ce que tu fais chez les gens en pleine nuit?

– Je te cherchais. Ta mère m'a téléphoné pour me dire que t'étais pas rentré à quatre heures passées.

– De quoi elle se mêle, celle-là? dit-il.

– Elle était morte d'inquiétude. Même moé, j'ai pensé que t'avais eu un accident. Bon, asteure, tu l'avertiras. Moé, je vais aller dormir. On reparlera de ça plus tard.

Sur le chemin du retour, Marie-Noëlle ne parla pas. Elle pensait à Ferdinand qui jouait à l'argent, qui lui mentait, et elle en était humiliée. Comment arriverait-elle à couvrir Ferdinand maintenant que Marc avait tout vu? Elle ne voulait pas noircir sa réputation. Ferdinand serait bientôt son mari. Elle refoula sa déception. Son ami n'avait pas été tendre avec elle et mille pensées l'assaillaient. Le jeu à l'argent était un vice. C'était donc pour ça que, les soirs de veillée, Ferdinand la quittait toujours vers neuf heures en disant qu'il devait se coucher tôt à cause de son travail du lendemain. Cette nuit, elle avait découvert le pot aux roses, elle constatait que tout n'était qu'un tissu de mensonges. Depuis combien de temps durait son petit manège? Ferdinand jouait, buvait, mentait, et elle allait marier ce garçon.

Marc lui jeta un regard de biais.

— T'as encore confiance en lui? Un gars qui t'en fait accroire pis qui te parle d'un ton sec?

— Tais-toé! hurla Marie-Noëlle.

— Réveille-toé, bon sang! Ton Ferdinand boit, joue aux cennes pis y te conte des menteries.

Marie-Noëlle savait tout ça et elle avait assez mal sans qu'en plus Marc tourne le fer dans la plaie. Après un silence, elle ajouta:

— M'man l'estime, elle!

— Ben sûr! Ferdinand fréquente l'église pis m'man pense qu'y est sobre. Sobre, mon œil! Si m'man savait qu'y boit pis qu'y joue aux cennes, elle penserait autrement. Et Marc ajouta: Mais si ça te convient...

— Et pis? C'est pas elle qui va vivre avec.

— Non, mais les mères veulent le bonheur de leurs enfants.

— Tu le détestes tant? dit-elle.

— Non, je le vois tel qu'y est. C'est toé qui veux pas le voir sous son vrai jour. Mais c'est ta vie, pis c'est à toé d'en faire ce que tu décideras, mais compte pus sur moé pour passer mes nuits à le chercher.

— Va pas dire ça à m'man, elle va me défendre de le recevoir à la maison.

— Tu veux encore le revoir après ce qu'y t'a fait, pis peut-être faire ta vie avec lui? Moé, je comprends pas que t'aimes un gars comme lui.

— Ah pis laisse donc faire. T'es pas parlable.

Les frères et sœurs sont les mieux placés pour se faire la leçon entre eux. Ça sert à ça, la famille. Ils ont beau se chicaner, se prendre aux cheveux, quand ils sentent un des leurs menacé, ils sont là pour le défendre bec et ongles.

— Ma blonde a un frère dans tes âges, dit Marc. Je peux te le présenter.

— Non !

— Attends de le connaître avant de dire non.

Marie-Noëlle, sur le point d'éclater en sanglots, détourna la tête et ne dit plus rien jusqu'à la maison. En descendant du camion, elle adressa à Marc un bref merci. Il était cinq heures du matin et les étoiles désertaient le ciel. Marie-Noëlle monta en flèche à sa chambre et se roula sur son lit, en proie à une grande déception.

Elle en voulait à Ferdinand. Elle ne pouvait chasser de son esprit le moment où il l'avait aperçue. Son regard s'était durci, pareil à celui de son père.

Marc s'en faisait pour sa sœur. Il jeta ses clés sur la table et se rendit au petit coin. De retour à la cuisine, il but lentement un grand verre d'eau et monta à son tour.

En passant devant la chambre des filles, il crut entendre Marie-Noëlle renifler. Il étira d'abord le cou, puis il entra et s'appuya à la barre de métal dorée qui formait le pied de lit. Marie-Noëlle cachait sa figure ravagée par les larmes dans son gros oreiller de plumes.

— Tu sais, si tu voulais, y en tient qu'à toé d'ouvrir les yeux. Y a ben d'autres gars aux alentours qui seraient intéressés, mais comme t'as Ferdinand, y se tiennent loin.

Marie-Noëlle se sentait appuyée, mais son cœur n'avait pas de place pour un nouvel amour. Il débordait de sentiments tendres pour Ferdinand.

* * *

Le dimanche suivant, Héléna s'occupait dans la cuisine tout en gardant un œil vigilant sur Marie-Noëlle et Ferdinand, qui veillaient au salon. Elle se remémorait les doutes que ses sœurs avaient semés dans son esprit le jour de leur visite. Elles avaient toutes l'air d'être de mèche quand elles parlaient du jeune Martel qui fréquentait sa fille. Héléna le regardait de sa cuisine et elle avait beau l'imaginer mauvais garçon, ce qualificatif ne lui convenait pas. Il était attachant, joyeux, poli. Il parlait beaucoup, mais Héléna était trop loin pour comprendre ce qu'il disait. Ferdinand semblait parler seul. À voir Marie-Noëlle avec son air sérieux, les bras croisés et le corps raide, Héléna avait l'impression qu'elle boudait Ferdinand.

Les jours suivants, Héléna ne le revit plus. Elle se garda bien de questionner Marie-Noëlle. Les événements étaient si frais.

Un mois passa. Ce dimanche, Marie-Noëlle se leva à midi. Toutes les nuits, le regard dur de Ferdinand peuplait ses cauchemars. Elle se présenta à la table les yeux rougis, les traits tirés. Sa mère avait déjà appris par Marc que Ferdinand avait été trouvé chez son frère à la suite de l'appel téléphonique reçu en pleine nuit. Elle avait posé quelques questions à son fils pour en savoir davantage, mais Marc n'en avait pas rajouté. Héléna se demandait si

Marie-Noëlle n'avait pas surpris son Ferdinand avec une autre fille. Ce fut Émile qui s'informa.

— T'as pas l'air dans ton assiette, Marie-Noëlle. Qu'est-ce que t'as?

— Rien! dit-elle.

— Rien? Ben d'abord pourquoi tu ris pus?

— Parce que! Ça te regarde pas.

— Tu sais, Marie-Noëlle, intervint sa mère, t'as droit à tes secrets, mais si tu veux parler, je suis là pour t'écouter.

Marie-Noëlle, les yeux baissés sur son couvert, ne répondit pas. Personne ne pouvait l'aider, pas même sa mère. Elle avait besoin de temps pour assimiler la brusque révélation que Ferdinand lui avait infligée et elle préférait vivre seule son combat intérieur.

— Aujourd'hui, lui dit sa mère, Marianne va venir souper avec Théodore pis Victoria. Y vont coucher icitte pis y devront repartir demain matin par le premier train. Je tiens à ce que toute la famille soit là pour le souper. J'ai quelque chose d'important à discuter.

Ce fut comme si Marie-Noëlle oubliait un moment sa peine.

— Ah oui? dit-elle, intéressée. D'habitude, on voit Marianne juste aux funérailles.

— C'est que, depuis la crise, y roulent pas sur l'or, ajouta Héléna. J'aimerais que tu prépares la chambre à visite pis que tu la fasses aérer.

— Je vais aussi descendre nos vieilles poupées du grenier. On va coucher Victoria avec nous dans la chambre des filles.

* * *

Marie-Noëlle dressait la table tout en surveillant l'horloge.

À cinq heures, la maison tremblait et le train sifflait un long trait.

— Les gros chars! s'écria Marie-Noëlle, tout excitée. Vite, Juliette, viens! Ils arrivent.

La gamine, nonchalante, se laissa traîner.

— Qu'est-cé qu'elle a l'air, cette Victoria?

— Tu vas la voir bientôt. Dépêche-toé donc!

La jeune fille courait et Juliette tirait de l'arrière. À treize ans, elle craignait toujours cette grosse bête noire qui fonçait sur les rails en poussant des hurlements encore plus forts que ceux des chiens.

— Regarde, Juliette, y sont là!

Théodore descendit du wagon le premier. Il tenait une malle d'une main et, de l'autre, une enfant d'environ trois ans que Marie-Noëlle et Juliette voyaient pour la première fois. Marianne, de nouveau appesantie par le poids d'une maternité, suivait, le dos cambré à cause de son gros bedon.

Le paysage familier offrait un charme si prenant que Marianne sentit son cœur s'emballer. Elle embrassa Juliette sur les joues.

— T'as ben grandi, toé. Je te reconnais pus.

Marianne poussa Victoria dans les bras de Marie-Noëlle.

— Va, Victoria. Elle, c'est ta tante Marie, pis celle-là, ta tante Juliette.

Marie-Noëlle serra Victoria dans ses bras. Depuis le temps qu'elle désirait connaître sa nièce. Elle ne cessait de la regarder.

— Comme t'es belle, Victoria!

La petite, intimidée, se colla contre sa mère, mais Marie-Noëlle n'en démordait pas, elle cherchait un moyen de l'apprivoiser, de capter l'intérêt de sa nièce.

— Chez mémère, on a des balançoires, dit-elle, pis aussi des poupées. Tu veux les voir?

Victoria se laissa gagner par les amusements.

Héléna arriva à son tour. Après les embrassades, elle s'informa à Marianne:

— Le voyage en train t'a pas trop fatiguée?

— Non, pas trop. Y a juste que, dans le train, j'avais pus de position, mais je suis tellement contente de venir à La Plaine que j'en oublie les petits inconvénients du voyage.

— J'étais inquiète pour toé. Rendue à ton dernier mois, c'est pas bon de te faire trimballer comme ça, dans un train. Ça risque de déclencher le travail.

— J'ai déjà accouché dans une gare, ajouta Marianne, moqueuse. Asteure, j'ai l'expérience.

— Les garçons vous attendent à la maison. Venez-vous-en! Dans deux minutes, le souper va être sur la table.

Héléna s'inquiéta soudainement.

— Juliette? Où est Juliette? demanda-t-elle.

— Elle était là y a deux minutes, répondit Marie-Noëlle.

— Va vite voir dans la gare. Moé, je vais m'assurer qu'elle est pas montée dans le train. Elle est peut-être retournée à la maison.

Ce fut Marianne qui trouva la fillette. Cachée au bout de la gare, Juliette boudait. Marianne tenta de la faire parler, de lui faire dire ce qui lui faisait de la peine, mais Juliette pinçait le bec. Marianne la traîna de force vers sa mère.

— Vous, m'man, dit-elle, vous arriverez peut-être mieux que moé à la faire parler.

Héléna comprit que Juliette se sentait mise à l'écart puisque Victoria accaparait l'intérêt de tout le monde.

— Viens, lui dit tendrement sa mère. À soir, tu coucheras dans mon lit. Et pis tiens, va donc inviter ton oncle Gilbert à venir souper.

Juliette s'échappa et courut vers la maisonnette en bois. Gilbert la recevait toujours à bras ouverts.

Théodore, qui assistait à la scène, pensa : « Franchement ! À treize ans, cette Juliette est moins raisonnable que Victoria. »

* * *

En entrant chez sa mère, Marianne promena son regard sur les murs, les rideaux, la table et le cristal scintillant, et elle s'exclama :

— C'est donc ben beau, ici-dedans ! C'est pus la même cuisine. Pis vous avez sorti votre belle vaisselle des fêtes !

— Oui, pour la belle visite.

— C'est ben différent de mon petit logis de ville, mais j'ai pas à me plaindre tant que j'ai mon Théodore pis ma petite Victoria.

Tout en soupant, Héléna amena le sujet de la ferme sur le tapis.

— Marc et Émile veulent pus rien savoir de la terre des Branchaud, pis là, à quatorze ans, Louis est trop jeune pour prendre la relève. J'ai pensé à vous, Théodore pis Marianne. Je sais que rien vous retient à la ville. J'ai donc pensé à vous louer la ferme pour cinq ans, si, ben sûr, vous êtes intéressés. Une chose est sûre, les revenus seraient meilleurs que votre petit salaire actuel.

Gilbert mangeait en silence, mais il ne perdait pas un mot de la conversation.

Marianne, fortement tentée, surveilla la réaction de Théodore, qui commença par poser des questions. Si son mari acceptait, toute sa vie changerait.

— On pourrait pas plutôt acheter? J'ai pas d'argent, mais les banques sont là pour prêter.

— La terre est pas à vendre, du moins, pas avant quelques années. Cinq ans, ça permettrait à Louis de vieillir un peu pis de savoir ce qu'y veut.

Théodore souriait. C'était bon signe.

— Pis on logerait où pendant tout ce temps? dit-il.

— C'est là le problème. Avez-vous une idée? demanda Héléna.

— Vite comme ça, non!

— Et si vous construisiez une maison à côté de la nôtre? proposa Héléna. Le terrain ne vous coûterait rien, pis, avec un peu d'aide, Théodore pourrait bûcher son bois de charpente pis aller le faire préparer au moulin à scie.

Marie-Noëlle était prête à sacrifier son confort.

— Si Juliette veux coucher avec m'man, je peux coucher dans le salon pis vous laisser ma chambre en attendant que vous vous trouviez autre chose, peut-être un logement. C'est pas pour un mois ou deux…

Gilbert intervint :

— Pas un mois ou deux, Marie-Noëlle, tu peux compter au moins un an. Y faut laisser le temps au bois de sécher avant de construire.

— Si ce projet aboutit, intervint Héléna, toé, Marie-Noëlle, tu garderas ta chambre. Marianne pourra installer la sienne dans le salon. On descendra le petit lit du grenier pis on le mettra au pied du mien pour Victoria.

Héléna pensait à la commodité d'une chambre au premier étage qui serait plus accessible avec l'accouchement de Marianne, qui approchait.

Marianne approuva la suggestion. Sa figure s'illumina. Pour elle, c'était le bonheur total. Le retour à La Plaine, un travail, une maison, que pouvait-elle espérer de plus ?

— Oui, oui ! s'écria Marie-Noëlle en frottant ses mains l'une contre l'autre. Je vais vous aider à construire, promis !

Marc pouffa de rire

— Toé, une fille ! Une menuisière ?

— Je pourrai servir les hommes, comme leur passer les planches.

Marie-Noëlle était prête à tous les efforts pour avoir sa sœur près d'elle. Toutefois, Théodore gardait les deux pieds sur terre.

— Avant, dit-il, je veux des chiffres : les revenus de la terre, le prix de la location et le prix d'une maison, le prêt d'une banque.

– Après la vaisselle, ajouta Héléna, je vous montrerai ça. Gustave notait tout dans son grand livre.

– Je t'avertis, Théodore, trancha Marc. Si tu loues la terre, compte-pas sus moé pour t'aider ni aux champs ni à l'étable.

Et Émile, comme un chien de poche, ajouta:

– Même chose pour moé, le beau-frère! Pis ça presse parce que, comme c'est là, on est ben tannés pis les bêtes vont mourir de faim.

Théodore réfléchit quelques instants.

Gilbert, qui jusque-là n'avait dit mot, lui proposa:

– Tu m'en parleras avant de passer à la banque pour une maison. On pourra peut-être prendre un arrangement entre nous.

– J'y manquerai pas, mon oncle, promit Théodore.

Gilbert lui dit en lui tapant sur l'épaule: «Nous finirons ben par nous entendre.»

– Ben là, je peux vous dire que ça me travaille fort, mais je préférerais dix ans de location, plutôt que cinq, ce qui me permettrait de m'impliquer plus à fond. De son côté, Louis aurait quelques années de plus pour mûrir davantage sa décision.

– Toé, Louis, qu'est-ce que tu penses de tout ça?

– Si Théodore veut me donner un salaire, je resterai à son service pendant dix ans, comme un engagé, mais sans m'obliger à rien envers lui.

L'entente conclue, Marianne était au septième ciel. Ce projet, qui tenait du rêve, se terminait en calculs avantageux.

Elle parlait sans arrêt:

— Quand cé qu'on s'en reviendra pour de bon?

— Au plus vite, intervint Héléna, parce que cette semaine, Blue Bonnets attendent leur livraison de foin pis d'avoine pour les chevaux de course. Y faudrait aller porter leur commande au train, sinon y vont se tourner vers un autre fournisseur. Pis aussi, y aura l'entretien des bâtiments, les clôtures à réparer, qui feront partie de l'entente. Ensuite, si jamais vous décidez d'augmenter le bétail, ce sera à votre gré.

— Et pour la nourriture? demanda Marianne. On s'arrangera comment vu qu'on mangera à la même table?

Héléna réfléchit un bon moment avant de répondre.

— Pour le temps que vous habiterez avec nous, vous fournirez ce que la terre approvisionne en produits laitiers, œufs, légumes et viande. Et, de mon côté, je paierai les commandes d'épicerie: le sucre, la cassonade, la farine, les pâtes et les produits ménagers. J'ai déjà du lard salé pour nous rendre aux fêtes, des confitures, des marinades et des légumes pour l'hiver. Même chose pour le bois de chauffage. Ça vous va?

— Ç'a ben du bon sens, dit Marianne, heureuse.

À l'avenir, fini les soucis financiers. Elle mangerait à sa faim et elle n'aurait plus à compter les quartiers de bois.

Tout le monde se mit à parler en même temps. La maisonnée ne s'entendait plus dans cette fusion de voix joyeuses qui ressemblait à un bourdonnement de ruche. La cuisine n'avait jamais été aussi riante.

Héléna quitta spontanément sa chaise.

— Voyons, dit-elle, voulez-vous me dire où c'est que j'ai la tête ? Avec tout ce brouhaha, j'allais oublier de servir le dessert.

Marianne mettait du temps à manger, tout lui semblait si bon.

La table desservie, Juliette recouvrit les épaules de Victoria d'un bon gilet et la conduisit à la balançoire, où elle lui donna des élans.

Héléna sortit le cahier de comptes et s'assit en face de Théodore. Elle lui présenta une feuille blanche et un crayon. Marianne, excitée par une saine curiosité, colla sa chaise à celle de son mari et posa la main sur son bras. Elle attendit, le sourire aux lèvres, comme si, déjà, l'affaire était dans le sac.

Héléna avait eu recours à Gilbert pour préparer le contrat et tous deux avaient décidé à l'avance des intérêts et avantages du jeune couple. Il fallait que Théodore y trouve son compte, sinon Héléna se retrouverait prise à nouveau avec la ferme sur les bras.

Tout se régla rapidement, sans autre garantie que quelques papiers, sans notaire, seulement sur parole. Héléna poussa le papier devant Théodore.

— Gardez cette feuille pour rien oublier.

L'entente conclue, Théodore serra les mains.

Héléna en vint au plus pressé.

— Vous arriverez quand ?

— Dès que je trouverai un camion pour me déménager, dit Théodore. Je vais donner ma démission chez Dupuis & Frères ; y a des employés qui attendent juste ça pour combler leurs semaines de travail.

— J'ai besoin du mien, dit Marc. Demain, je commence une job à L'Assomption.

— On va regarder par icitte, intervint Gilbert. Peut-être celui de Villeneuve. Je vais faire un saut chez lui, pis si ça marche, vous aurez pas à prendre le train. En plus, si vous faites un aller-retour le même jour, je pourrais vous donner un coup de main avec Émile pis Louis.

Marianne jubilait.

— Je vais aller préparer mes boîtes.

— Toé, Marianne, prends ça calmement, t'entends? Demain, tu me laisseras Victoria, pis moé, je vais te laisser Marie-Noëlle pour la journée. T'auras qu'à y dire quoi faire. Je te défends ben de soulever des boîtes. Je veux que tu ménages tes forces pour ce qui s'en vient.

— Promis, m'man!

Théodore s'occupa du côté pratique.

— Avez-vous un endroit pour remiser notre ménage? Si on installe notre set de chambre dans le salon pis la couchette de Victoria dans votre chambre, y restera presque rien à entreposer. Un poêle, une table et quatre chaises pis un moulin à laver, c'est pas ce qui prend ben de l'espace.

— Asteure, c'est vous le boss, Théodore. Y a peut-être de la place dans le hangar ou encore dans la grange d'en haut, c'est à vous de voir. Par contre, si vous laissez votre machine à laver dans la cuisine d'été, elle pourrait servir à l'occasion.

Héléna pensait au lavage de couches que la prochaine naissance entraînerait bientôt. L'hiver, on n'aurait qu'à chauffer le poêle pour réchauffer la pièce, qui servirait les jours de lessive.

* * *

Le lendemain, Marie-Noëlle et Marianne montèrent dans la cabine du camion de Villeneuve. Théodore, Louis, Gilbert et Émile grimpèrent à l'arrière et le véhicule fila vers la ville.

À la maison, Juliette s'occupa de servir à déjeuner à Victoria.

– Si tu t'occupes de la petite, dit Héléna, ça va me permettre de préparer une chambre pour Marianne. Si tu fais ben ça, après le déjeuner, tu pourras amener Victoria au Caboulot acheter des peppermints roses.

Héléna traîna les quatre berçantes à la cuisine et le petit secrétaire dans sa chambre. Il ne restait plus dans le salon que le piano placé en angle. Elle poussa le colosse au mur. Elle se mit en frais de décrocher les rideaux et les cadres, et elle sortit le petit tapis de centre avant de s'attaquer au grand ménage. Elle enveloppa son balai d'un grand linge qu'elle plia et replia pour en faire un semblant de capuchon de moine et elle le passa sur toute l'étendue du papier peint à ramage beige rosé.

Héléna s'assit le temps de reprendre haleine, puis elle remplit une chaudière d'eau chaude, qui servirait au lavage des boiseries. Elle se pressait afin que tout soit terminé pour le retour de Marianne.

– Le postillon! s'écria Juliette. C'est moé qui va chercher la malle.

Juliette s'élança à l'extérieur, et, de retour dans la cuisine, elle avança lentement en lisant le nom du destinataire.

— Gilbert Branchaud, dit-elle. Ça vient du Colorado. C'est où ça, m'man?

Héléna sentit un éclair de jalousie la transpercer et elle ressentit un petit pincement au cœur.

— C'est aux États.

— Je vais aller lui porter, s'écria Juliette.

— Ton oncle est pas chez lui. Laisse la lettre sur la table, il la prendra à son retour.

En réalité, Héléna voulait s'assurer de qui venait cette missive. Une fois seule dans la maison, elle essuya ses mains sur son tablier avant de regarder attentivement l'écriture du destinataire, puis elle déposa la lettre sur la table avant qu'on la surprenne à s'y intéresser. Mais qu'est-ce qui lui prenait d'être si indiscrète? C'était plus fort qu'elle. Cette missive venait sans doute de la merveilleuse Laura dont Gilbert lui avait parlé à son arrivée. Héléna compta les années. Ça faisait un bon six ans de ça. Cette fille devait être rendue trop vieille pour amuser les clients. Peut-être cherchait-elle à se caser?

Héléna, mélancolique, se remit à son grand nettoyage avec un nœud au cœur. Toutes ses pensées rejoignaient Gilbert.

Son plancher frais lavé était trop mouillé pour lui permettre de circuler. Héléna ferma les grandes portes en planches qui séparaient le salon de la cuisine. Il ne restait plus que les vitres extérieures du salon à laver et les rideaux blancs à lessiver. Elle s'assit un moment et, sitôt dans la berçante, elle passa machinalement les mains sur ses genoux douloureux. Elle devait se faire une toilette, arranger ses cheveux et échanger sa robe défraîchie pour une propre avant le retour de Gilbert.

* * *

Héléna, appétissante et fraîche, s'attardait à attacher ses cheveux quand elle entendit un grondement, puis la porte d'un véhicule claquer. Elle se rendit à la fenêtre. Gilbert sautait du camion de déménagement et venait chez elle.

— Villeneuve dit qu'on peut vider le camion juste demain, dit-il. Pour ce soir, on va rentrer le lit seulement. On l'a embarqué le dernier. Les garçons vont s'en occuper. Bon, moé, je vous laisse.

Il sortit en courant.

Théodore et Émile commencèrent par monter le grand lit. Marianne et Marie-Noëlle, placées de chaque côté, attendirent avec la literie plein les bras. Tout en ajustant les draps sur la paillasse, Marianne raconta à sa mère son voyage à Montréal.

— Le logis est complètement vide. Théodore a placé une annonce à louer dans la porte d'entrée avec le numéro de téléphone du propriétaire. Le futur locataire va s'arranger avec lui. Ça nous fera ça de moins à nous occuper.

Héléna avait la tête ailleurs. Elle n'avait qu'un désir, aussi violent qu'une obsession : revoir Gilbert. Elle n'osait pas lui porter sa lettre, ses enfants pourraient mal la juger si elle se rendait chez lui. Comment pourrait-elle leur faire la morale ensuite ?

Le soir, tout le monde se coucha épuisé. À onze heures, Héléna se retrouva seule dans la cuisine, qui avait conservé une odeur de friture. Elle poussait doucement les berçantes qui encombraient le milieu de la place quand elle entendit frapper.

Elle allait ouvrir, mais, avant qu'elle n'atteigne la porte, Gilbert était déjà entré.

— Bonsoir, Gilbert, dit-elle tout bas, pour ne pas réveiller Marianne et Théodore, qui dormaient dans le salon.

— J'ai vu de la lumière, dit Gilbert, je me suis dit : « Vas-y donc ».

Il déposa son chapeau melon sur la table et sa redingote sur un dossier de chaise.

— Ah, qu'on est ben icitte ! dit-il.

— Tenez, choisissez-vous donc une berçante. D'abord, c'est pas ce qui manque ici-dedans depuis que le salon est transformé en chambre.

Ils étaient seuls, lui et elle, dans la grande cuisine morte, et Gilbert, impulsif, cherchait à passer près d'Héléna pour ainsi frôler son corps. Mais son petit manège ne fonctionnait pas ; Héléna se déplaçait inconsciemment pour se retrouver de l'autre côté de la table.

— Je passais juste vous dire bonsoir, mais je refuserais pas un café.

Héléna se confondit en excuses.

— Ce que je suis bête de pas vous l'avoir offert ! J'ai aussi des bons petits biscuits aux amandes. Ça va nous faire du bien à tous les deux de relaxer un peu. Avec le travail que j'ai dû abattre aujourd'hui, y me semble que j'ai cent ans.

– C'est pour ça que vos beaux yeux sont cernés?

Gilbert avait toujours le mot pour la toucher. Gustave ne s'était jamais intéressé à ses yeux, il ne la regardait pas.

Héléna occupait ses mains nerveuses à placer et replacer les tasses et les cuillères.

– Vous voyez mes mains? Elles sont toutes fripées à force de tremper dans l'eau, dit-elle.

Gilbert l'entendait-il? Il ne voyait que ses seins lourds et sa masse de cheveux bouclés qui la rendaient séduisante.

– Merci pour tout ce que vous faites pour moé pis les miens, dit-elle. Si je vous avais pas…

– Ce serait plutôt à moé de dire: «Si je vous avais pas…»

Gilbert allait prendre sa main quand elle lui tendit la fameuse lettre.

– Tenez! dit-elle avec une tristesse dans les yeux. Vous avez reçu ça aujourd'hui.

Gilbert s'assit sur la berçante et retourna l'enveloppe dans sa main.

– Des nouvelles du Colorado, après toutes ces années?

Il rentra la missive dans la poche de sa chemise et n'en parla plus.

Par deux fois, leurs regards se croisèrent. Héléna baissait toujours les yeux la première, comme une adolescente à ses premières émotions. Ce soir, pourtant, elle se retenait de se jeter dans ses bras, d'appuyer la tête sur son épaule et d'y rester des heures sans bouger, sans pousser plus loin sa soif d'affection. Mais elle devait contrôler ses élans.

Marianne et Théodore dormaient de l'autre côté du mur, et la porte pouvait s'ouvrir sur eux à tout moment.

Un silence s'installa, un silence rempli de sentiments, de folies, de désirs refoulés.

Gilbert se leva et se servit une deuxième tasse de café.

– Je me sens ben icitte avec vous, surtout quand votre cuisine tombe tranquille comme ce soir.

– Je m'attends à ce que ça bouge un peu plus dans les jours à venir avec la petite famille de Marianne, dit Héléna. Je me demande même si je trouverai du temps pour me reposer un peu.

– Vous viendrez vous reposer chez moé. C'est le calme plat.

– Ce serait mal vu, dit-elle. J'ai des voisines qui me surveillent comme des détectives. Elles jaseraient dans mon dos.

– Elles jaseraient pour quelque chose, cette fois, quelque chose de merveilleux.

Héléna détourna le sujet avant de succomber à l'invitation de Gilbert.

– Si vous saviez, lui dit-elle, comme je suis contente du retour de Marianne et de sa petite famille. Y m'ont tellement manqué, ceux-là. Pis pas seulement à moé. Avez-vous remarqué comme les garçons sont heureux ? Vous les entendiez à table ? Ils parlaient plus fort qu'à l'accoutumée.

– Demain, je vais aller sonder le terrain au moulin à scie. Si je trouve du bois séché pour la maison de Théodore, peut-être qu'avec quelques dollars on pourrait l'échanger pour du bois vert. Ça y permettrait de construire plus tôt.

— Vous êtes comme un vrai père pour mes enfants. Y peuvent ben vous aimer.

— Et pour vous, Héléna, je suis quoi?

— Y existe pas de mot pour vous définir, Gilbert. J'aurais peur de ne pas en mettre assez et en même temps d'en mettre trop.

— Vous êtes plutôt compliquée, Héléna. Si d'abord on cessait de se vouvoyer, dit-il d'une voix émue.

Héléna resta debout devant lui, une tasse de café bouillant à la main, la poitrine palpitante.

— Si on se tutoie, votre frère, l'abbé Jacques, va supposer des choses.

— Supposera qui voudra, Héléna. T'es libre pis moé aussi.

Héléna resta pensive. Gilbert quitta sa berçante et s'approcha d'elle. Il lui enleva sa tasse des mains, la déposa sur le coin de la table et serra Héléna contre lui, puis il prit son visage entre ses mains et l'embrassa sur la bouche. Il lui murmura des mots doux à l'oreille comme on le fait dans la nuit noire.

Héléna ferma les yeux. D'un coup, toute la fatigue de sa journée s'envola. Elle se laissa séduire par les gestes et la voix pleine de douceur de Gilbert et, le cœur palpitant, elle ressentit une émotion inconnue jusque-là. Elle qui, toute sa vie, avait attendu l'amour tendre.

— T'es un ange, dit-il.

Comme si elle se réveillait en sursaut, Héléna dressa la tête d'un mouvement sec de la nuque, comme un mannequin, et elle objecta:

— Disons plutôt une vieille grand-mère.

– T'es qu'une petite sotte! Maintenant que la voie est ouverte, je forme des projets pour nous deux, avoua Gilbert.

– Ça me flatte d'entendre ça, mais c'est impossible, Gilbert. Y a les enfants.

– Les enfants ne sont que des excuses, dit-il. Asteure, t'es une femme libre.

– Je serai complètement libre seulement quand y seront tous installés. Ma Juliette a rien que treize ans.

– Tes enfants sont les miens, dit Gilbert, ému.

La figure d'Héléna s'illumina d'un beau sourire.

Gilbert s'approcha doucement, le plus près possible, jusqu'à ce qu'Héléna se trouve coincée entre la table et lui, le même scénario qu'à son arrivée, mais, cette fois, il croyait la tenir. Comme sa joue touchait la sienne, Héléna le repoussa en douceur.

Elle l'aimait et le désirait ardemment, tout son corps tremblait, palpitait. Elle retenait difficilement sa nature débordante et, pourtant, elle refusait d'obéir à ses impulsions.

– T'as pas lu la lettre que tu viens de recevoir. Peut-être qu'une belle dame t'attend au Colorado et qu'elle va te faire regretter les belles paroles que tu viens de me murmurer à l'oreille.

Gilbert retira l'enveloppe de sa poche de chemise.

– Nous allons la lire ensemble, dit-il.

Héléna redoutait le contenu. Si c'était cette Laura qui le relançait, elle en souffrirait.

– Non, Gilbert, tu la liras seul.

Gilbert retira de son veston une montre retenue par une chaînette en or.

– Déjà onze heures! dit-il. Je m'en vais avant que tu me mettes à la porte.

– Tu sais ben que t'es toujours chez toé dans ma maison.

– Oui, mais je couche chez le voisin! dit-il d'un ton chantant.

Il secoua son menton, ce qui la fit rire. Il reprit son chapeau melon et sa redingote et sortit sans bruit dans la nuit.

Sitôt arrivé dans sa petite maison pleine de silence, Gilbert accrocha sa longue veste grise au clou et s'assit dans la berçante. Pressé de lire, il décacheta la petite enveloppe. La missive était écrite au crayon à mine sur une feuille de cahier ligné. Gilbert commença par regarder la provenance.

C'était signé Télesphore Bernèche. Télesphore et lui avaient été bons amis au Colorado. Gilbert tourna la petite feuille et lut.

Télesphore lui confiait qu'il venait de perdre sa femme et son fils dans l'incendie de sa maison. Gilbert se redressa, sa berçante s'immobilisa.

Dans le temps, Bernèche et lui étaient voisins de couchette et, les soirs où l'ennui les prenait, ils causaient ensemble de leur famille.

Gilbert était désemparé pour son copain. Il replia la petite feuille tout en occupant son esprit à imaginer le drame. Maintenant, comment pourrait-il s'endormir sur cette terrible nouvelle? Son sommeil avait disparu.

Il sentait le besoin d'en parler, mais il était seul. Il jeta un œil à la fenêtre, espérant qu'Héléna soit encore debout.

La lampe était baissée en veilleuse dans la cuisine. Gilbert alluma son fanal et traversa chez sa belle-sœur. Il frappa doucement pour ne pas réveiller la maisonnée et entra en marchant délicatement.

— T'as oublié quelque chose? s'informa Héléna à voix basse.

— C'est pas ça, murmura Gilbert, c'est… Si t'as deux minutes, je vais te raconter.

Héléna le regarda. Il semblait très ému, sa voix tremblotait.

— Qu'est-ce qui se passe? T'es pas malade?

Elle l'invita à s'asseoir, colla une chaise tout contre la sienne et, les coudes appuyés sur la table, elle pencha la tête vers lui, prête à recevoir ses confidences.

Gilbert lui parla de son ami affligé par le feu et la perte des siens.

— Je m'en veux de te déranger à pareille heure, chuchota-t-il, mais je sens le besoin de parler avec quelqu'un. Je pourrais pas m'endormir avec ces images de malheur qui me trottent dans la tête.

Héléna posa un regard empathique sur lui.

— Vous étiez proches l'un de l'autre? s'informa-t-elle.

— C'était un copain, mais, quand on se retrouve loin de la famille, on tisse des liens serrés et les amis deviennent très importants. On en vient même à connaître leur famille comme si elle était la nôtre, juste par le portrait qu'y nous en font.

– Tu veux y répondre? Je peux t'aider, tu sais. Ce soir, la cuisine est calme pis j'ai tout le nécessaire pour écrire, même des timbres.

– Non, je préfère me rendre là-bas. C'est le moins que je puisse faire pour lui.

La figure d'Héléna s'allongea. Gilbert allait partir juste au moment où ses sentiments fraternels se changeaient en sentiments tendres et en attirance physique.

– Tu penses partir pour combien de temps? demanda-t-elle.

– Un mois, peut-être.

– Un mois, c'est pas un peu long?

– Très long! approuva Gilbert en la fixant intensément.

– Je vais me sentir seule, moé qui ai l'habitude de te voir tous les jours.

Les yeux d'Héléna se mouillèrent. Gilbert essuya une larme de son index.

– Prépare ta valise. Je t'amène avec moé.

Héléna n'avait jamais été plus loin que quatre ou cinq petites paroisses.

– Le Colorado, dit-elle, c'est le bout du monde, ça! Hein?

Les mêmes paroles que sa mère le jour de son départ.

Le goût de l'aventure avec un amoureux tentait énormément Héléna, mais, encore une fois, la raison l'emportait sur ses sentiments.

Ils causaient toujours à voix basse.

– Si seulement c'était possible! D'abord, ce serait pas convenable. Et pis, je pourrais pas laisser à Marie-Noëlle la charge de la famille. Avec mes grands adolescents, y pourrait y avoir du grabuge. Y a aussi Marianne qu'est sur le point d'accoucher. Non, je me vois pas laisser la maison.

— Je le savais que ce serait non, dit Gilbert, déçu.

— Tu devrais pas me demander des affaires de même, dit-elle. Tu réussis juste à me tourmenter.

Héléna appuya la tête sur l'épaule de Gilbert.

— Un long mois, seule! Si tu savais comme je me flagelle en refusant. Ce serait si facile de dire oui, mais je peux pas me permettre de tout foutre en l'air.

Héléna pensa aller retrouver Gilbert chez lui. Seuls tous les deux, elle pourrait profiter du fait que tout son petit monde dorme pour se permettre de se laisser aller, de se donner à lui avant son départ, et ensuite vivre un mois alimentée de ce beau souvenir.

— Si tu veux, dit-elle, je peux aller t'aider à préparer ta valise. Les enfants ont l'air de dormir ben dur.

— Tout de suite?

— Oui! Tantôt, tu disais que tu pourrais pas dormir avec cette mauvaise nouvelle que tu viens d'apprendre.

Gilbert recula sa chaise et se leva promptement. Ce serait la première fois qu'Héléna et lui se retrouveraient seuls dans sa maison. Depuis le temps qu'il crevait de la posséder. Le moment était propice. Il saisit son fanal laissé près de la porte et l'alluma.

— Éteignez, Gilbert. Les voisins pourraient nous voir et colporter des histoires.

Il éteignit le fanal à huile et elle éteignit la grosse lampe au gaz.

— D'abord, allons-y à tâtons, murmura-t-il.

Héléna prit son gilet de laine et, le cœur battant, elle sortit en douceur, précédée de Gilbert.

La nuit était noire. Le soleil et la lune avaient pris le large.

– Attention aux marches! lui dit Gilbert.

Il prit sa main et l'entraîna chez lui.

* * *

Dans la vieille maison, à peine la porte refermée, l'horloge sonna douze coups. La petite Victoria se réveilla et se mit à pleurer. C'était sa première nuit dans une maison étrangère et, dans la chambre d'Héléna, elle devait se sentir isolée de sa mère. Marianne se leva et se rendit à la chambre sur le bout des pieds. Elle aperçut le lit de sa mère vide et bien bordé. Elle supposa que celle-ci était au petit coin – la bécosse était au bout du hangar. Elle amena Victoria à sa chambre et lui fit une petite place entre Théodore et elle. Mais le sommeil ne vint pas. Un fait l'agaçait. Comment se faisait-il que le lit de sa mère ne soit pas défait?

Finalement, Marianne retourna Victoria à sa couchette.

* * *

Pendant ce temps, Gilbert ouvrait toute grande la porte de sa maisonnette devant Héléna.

– Tout est propre icitte, nota Héléna. L'ordre, c'est une qualité rare chez un homme.

Gilbert prit son gilet et le jeta négligemment sur la première chaise. Héléna portait une robe à pois bruns sur fond beige qui moulait ses seins lourds. Malgré ses maternités répétées, Héléna avait gardé la ligne fidèle de son corps. Gilbert la regardait et il la revoyait aussi belle qu'aux noces d'Antoine. Le sang battait comme un fouet à ses tempes. Il la sentait déjà à lui. Il dénoua ses cheveux et lui chuchota, bouche contre oreille :

— Comme la première fois que je vous ai vue.

Il posa doucement ses lèvres sensuelles sur les siennes et la serra tendrement contre lui.

Héléna se laissait cajoler. Un frisson lui parcourait l'échine et, bouleversée comme une adolescente à ses premières amours, quelque chose en elle chavirait. Soudain, ses principes religieux et sa crainte du châtiment éternel refirent surface. Vive comme un feu follet, elle s'échappa de ses bras.

— J'allais oublier ta valise, dit-elle.

Gilbert avait échoué. Héléna était intouchable.

— Je mets une bûche dans le poêle, dit-il. Après, on commencera ma valise.

Gilbert se rendit à sa chambrette suivi d'Héléna, qui se demandait ce qu'elle faisait là, seule dans une chambre à coucher avec un homme. Elle s'assit sur le pied du lit et attendit.

— Où se trouve ta valise ? demanda-t-elle, un peu mal à l'aise.

Gilbert semblait se ficher éperdument de ses malles. Sous l'impulsion du désir, il renversa Héléna sur le lit, son visage au-dessus du sien, si près qu'elle sentait son haleine chaude comme une caresse sur son cou, et, à un pas de la posséder, celle-ci, vive comme une couleuvre, lui glissa des mains.

Héléna reprenait ses esprits, quelque chose la retenait. La vertu ou le déshonneur, elle n'aurait su le dire, mais une petite voix intérieure lui disait de retourner chez elle. C'était la voix de sa conscience qui lui dictait sa conduite. Une lutte intérieure s'engageait entre son cœur et sa raison jusqu'à la faire souffrir dans sa chair.

— Non, Gilbert, dit-elle. Je peux pas.

Héléna le regardait comme un gamin. Il était trop jeune pour elle et elle était trop vieille pour lui.

— Je dois rentrer à la maison, dit-elle. J'aurais pas dû venir.

— Pourquoi?

— Je sais pas. Je peux pas. C'est pas le temps. Y a les enfants.

— On est pus jeunes, Héléna. Ce sera pour quand, le temps du bonheur, de la liberté?

— Plus tard, dit-elle, décevante.

Ce plus tard paraissait si loin à Gilbert, sinon inexistant.

— On est déjà rendus à plus tard, Héléna. Maintenant, nous sommes libres tous les deux.

Le charme secret tombait.

Gilbert en voulait un peu à Héléna. Il s'en voulait à lui aussi de l'avoir renversée sur le lit sans délicatesse. Si seulement elle avait voulu aller plus loin, se donner à lui, mais il ne pouvait pas la prendre de force. Il ne l'aimait pas moins pour autant, seulement, il restait cruellement déçu.

Il prit sa main et, comme il la ramenait gentiment à la cuisine, la porte s'ouvrit toute grande devant eux.

— Ouf! s'exclama Marianne, soulagée de trouver sa mère chez son oncle. Je me demandais où vous étiez passée à pareille heure. Victoria s'est levée pis elle arrivait pus à se rendormir. C'est probablement la sonnerie de l'horloge qui l'a réveillée. Elle a pas encore eu le temps de se faire aux bruits de la maison. En allant la recoucher, j'ai vu votre lit vide pis j'ai paniqué. J'ai jeté un œil dehors pis j'ai vu de la lumière icitte.

Héléna ressentit un scrupule, une gêne d'être surprise en pleine nuit chez un homme, les cheveux sur les épaules comme une Marie-Madeleine, elle qui ne cessait d'inculquer de bons principes à ses enfants. Cette nuit, Marianne allait sûrement imaginer des choses.

— C'est pas ce que tu penses, Marianne, lui dit sa mère. Je venais aider ton oncle à faire sa valise. Je te raconterai.

— Je pense rien, répliqua Marianne. Je vous laisse asteure que je vous sais en sécurité.

En fait, Marianne n'avait aucune arrière-pensée. Pour elle, sa mère n'était plus à l'âge des battements de cœur, des désirs charnels, des sensualités. Pas sa mère, c'était impensable! Elle, plus sainte qu'une religieuse, elle dont toute la vie était une prière.

— Va! lui dit sa mère. Je traînerai pas.

Marianne partie, Héléna laissa échapper un long soupir:

— Asteure, qu'est-ce que Marianne va s'imaginer? Faire une valise en pleine nuit! Une chance que j'ai repoussé tes avances, sinon elle nous aurait surpris au lit.

— Je vais penser à poser un loquet à ma porte.

— Ça devrait être fait depuis longtemps, avec l'argent que tu caches dans ton grenier.

Héléna enfila son manteau.

— Je dois partir. Je regrette pour ta valise.

— Moé, je regrette qu'une chose Héléna, c'est que tu passes pas le reste de la nuit avec moé.

Gilbert tourna une frisette sur la tempe d'Héléna en la regardant dans les yeux.

— Je t'aime tant, Héléna.

— Moé aussi, dit-elle.

Il la serra contre lui et l'embrassa longuement. Si Héléna s'était écoutée, elle serait restée là, toute la nuit, à se contenter d'un simple contact de son corps touchant le sien.

Puis, Gilbert desserra son étreinte, jeta sa redingote sur ses épaules.

— Pas besoin de me reconduire, dit-elle, je suis ben capable de trouver mon chemin.

— Et si tu rencontrais des chauves-souris ou des mouffettes? Qui te défendrait contre elles?

— Yark! D'accord, dit-elle.

Gilbert prit son bras et s'arrêta au pied de l'escalier.

— C'est pas souvent qu'on se retrouve seuls, dit-il.

La brise était tombée et la nuit était exquise. Sous les étoiles allumées, un concerto de grenouilles rappelait les doux soirs d'été. C'était comme si le ciel et la terre se donnaient le mot pour exciter les passions.

Gilbert embrassa Héléna dans le cou, sur la bouche, et ses mains descendirent le long de son corps. Héléna se sentit comme une adolescente à son premier béguin. Elle essaya de calmer le tremblement de ses jambes sans toutefois y parvenir. Les baisers se succédèrent jusqu'à ce que Gilbert lui chuchote à l'oreille :

— Je pars pas, Héléna, je m'ennuierais trop de toé.

Un nuage passa devant la lune et laissa tomber mille perles argentées. La magie était brisée. Gilbert reconduisit Héléna chez elle et il s'en retourna en sifflant sous la pluie.

* * *

Héléna entra sur le bout des pieds dans la cuisine endormie. Son cœur sautait dans sa poitrine. Elle n'alluma pas ; elle risquerait de réveiller Victoria et peut-être d'échapper son rêve. Assise sur le bord de son lit, elle fit une courte prière, mais elle n'arrivait pas à faire abstraction de ses sentiments. Elle se glissa entre ses draps et resta les yeux ouverts à penser aux beaux moments qu'elle venait de vivre avec Gilbert et aux sentiments tendres qu'elle lui portait, puis le mal de retourner chez lui la reprit.

S'il n'y avait pas eu les enfants, elle se serait laissée aller au bout de sa folie. Mais ils étaient là pour l'empêcher de commettre une sottise. Elle se contenterait de penser à Gilbert, de rêver à lui.

* * *

Trois jours plus tard, chez les Branchaud, toute la maison était en effervescence. À six heures du matin,

Marianne ressentit ses premières contractions. Sa mère était extrêmement nerveuse.

– Marie-Noëlle, ordonna Héléna, va vite demander à Gilbert de conduire les enfants chez ta tante Agathe. Vous resterez là jusqu'à tant qu'on vous le dise.

À vingt ans, Marie-Noëlle connaissait la raison de cette sortie soudaine, mais comme sa mère évitait ce sujet tabou, la jeune fille obéit sans poser de questions.

Sitôt les enfants partis, Héléna téléphona au médecin.

À 8 h 25, Marianne accoucha d'un petit garçon qu'elle prénomma Théo, un diminutif de Théodore, et ce petit être vint combler de joie toute la maisonnée.

Avec la venue d'un deuxième enfant, la construction d'une maison devenait de plus en plus pressante pour les deux familles.

XXII

Tour à tour, les enfants d'Héléna quittaient la maison.

Émile et Marc devaient faire un mariage double au mois de juin.

Émile, monteur de lignes pour la Shawinigan Water and Power Company, allait marier Valéda Morin, une fille de la paroisse. Il avait loué une petite maison sur le chemin Gascon.

Marc pratiquait le métier de menuisier. Héléna lui avait prêté l'argent nécessaire pour gréer un bon coffre d'outils. Comme il en était à son dernier remboursement, il réemprunta la somme à sa mère pour se construire une maison.

— Si je peux fermer les murs et le toit cet été, à l'hiver, je finirai l'intérieur. Avec l'argent que vous me prêtez et ce que j'ai mis de côté sur mes paies, j'aurai pas à m'endetter.

Marc ajouta :

— Francine pis moé, on se demandait si on pourrait pas rester avec vous en attendant que notre maison soit prête.

« Ah non ! pensa Héléna, pas une troisième famille dans ma maison quand elle est déjà pleine à craquer ! Moé qui trouve pas une minute de repos. »

Déjà qu'elle trouvait peu de temps pour confectionner les robes des filles et que le mariage approchait. Par contre, Héléna ne voulait pas froisser Marc.

— Ce serait pour combien de temps ? demanda-t-elle.

— Je sais pas trop. Peut-être six ou huit mois.

— La maison est déjà pas mal pleine comme c'est là, avec Marianne pis sa petite famille.

— Oui, mais notre chambre va se vider quand Émile pis moé on va se marier.

— Et si tu repoussais ton mariage d'un an ?

— Non ! Si vous voulez pas, on va essayer de se trouver un logement, quelque chose de pas trop cher.

— C'est pas que je veux pas, c'est juste qu'on serait pas mal tassés. Mais laisse-moé y réfléchir.

— Y réfléchir combien de temps ? insista Marc.

— Quelques jours !

Héléna ne trouvait plus de repos depuis que la petite famille de Marianne vivait chez elle avec les enfants et tout le tralala. Et puis, elle voyait de moins en moins Gilbert, qui craignait de la déranger. Il venait plus rarement prendre son café ; elle était toujours si occupée.

Héléna, au bord du découragement, se rendit chez Gilbert en plein cœur de l'après-midi pour lui demander conseil.

Gilbert, toujours à la fine pointe de la mode, portait un pantalon droit d'un beige très pâle, une chemise en fil de coton à carreaux fins, beiges et blancs, et des souliers en toile blancs. Un parfum discret émanait de sa personne. Il était irrésistible et Héléna, charmée, en oublia sa fatigue.

— Comme c'est calme icitte ! dit-elle.

— Prends la berçante qui est près du poêle, c'est la plus confortable.

Gilbert plaça une chaise droite en face d'elle et s'y assit.

– Étends tes pieds sur mes genoux, je vais les masser. Ça va te faire du bien.

– Si je suis venue, c'est que j'ai besoin d'un conseil.

Gilbert tira sa chaise contre la sienne et glissa son bras derrière ses épaules pour mieux l'écouter.

Héléna lui raconta les faits, puis laissa échapper un long soupir.

– Quand est-ce que je vais pouvoir me reposer? demanda-t-elle.

– Je trouve pas normal, dit Gilbert, que des jeunes mariés commencent leur vie à deux dans une maison déjà pleine de monde. Comment veux-tu qu'ils aient un peu d'intimité?

– C'est ce que je pense aussi.

– Écoute, Héléna, comme la petite famille de Marianne doit entrer dans sa nouvelle maison le mois prochain, si tu veux de moé, on pourrait passer devant le curé, pis je laisserais ma maisonnette à Marc pis Francine le temps qu'y leur faudra pour construire.

– Y me reste encore Marie-Noëlle pis Juliette. Tu viens de me dire que c'est pas normal que des jeunes mariés commencent leur vie à deux dans une maison pleine de monde.

– J'ai ben dit «jeunes mariés». Nous, on serait des vieux mariés, la corrigea Gilbert, tout en gaieté.

Et il l'embrassa fougueusement pour l'empêcher de refuser son offre.

– Et si j'acceptais ta proposition? dit-elle.

– T'es sérieuse, Héléna? Tu ferais de moé le plus heureux des hommes.

Héléna se laissa aller mollement dans les bras de Gilbert.

– Ça va faire beaucoup de mariages cette année. Si on faisait un petit mariage intime, seulement avec les enfants?

Gilbert se leva et sortit deux coupes et une bouteille de l'armoire.

– Aujourd'hui, je débouche le champagne que je conservais pour ce grand jour.

Et il verrouilla la porte.

XXIII

Ce soir-là, Marc fila à la chambre de Marie-Noëlle et s'assit au pied de son lit.

— Tu sais la nouvelle?

— Non! Quelle nouvelle?

— Ça touche notre famille.

— Vas-tu te décider à parler?

— M'man pis mon oncle Gilbert vont se marier, pis mon oncle va me prêter sa maison en attendant que la mienne soit prête. Tout s'arrange pour moé.

Marie-Noëlle sourit.

— Enfin! Je les ai toujours imaginés ensemble, ces deux-là. C'est pour quand?

— Aussitôt que Marianne va partir avec sa gang.

— Ma foi, c'est l'année des mariages!

— Pis toé? demanda Marc. Qu'est-ce qui advient de ton Ferdinand?

— Rien!

— Y vient pus te voir au salon?

— Ferdinand est pas un garçon pour moé. Y ferait mon malheur. Mais j'ai ben de la misère à l'oublier.

— Francine fait demander si t'accepterais d'accompagner son frère pour le jour de notre mariage, comme y sera seul…

— Je veux pus de chum, je serai pus jamais capable de faire confiance à un garçon après ce que je viens de vivre avec Ferdinand. Je veux pas recommencer ça. J'ai trop mal.

— Écoute, on te demande pas de l'aimer ni de le marier, mais juste de passer la journée avec lui. Une journée, c'est pas la fin du monde!

— Ben sûr! dit Marie-Noëlle.

— Si tu veux refuser, c'est ton droit. On en parlera pus, mais ça décevrait ben Francine.

— C'est ben juste pour vous faire plaisir, dit-elle, résignée comme un agneau que l'on mène à l'abattoir. Pourvu que je l'aie pas sur les talons par la suite. Y a l'air de quoi?

— Je suis pas bon pour décrire les gens. Tu demanderas à Francine.

— Ben non! C'est pas grave qui soit n'importe comment. Comme tu dis, c'est juste pour une journée.

Marc se leva.

— Bon! Je vais dormir. Comme ça, c'est oui pour Étienne?

— Étienne! répéta Marie-Noëlle en grimaçant.

Marc s'en retourna à sa chambre et Marie-Noëlle remonta sa couverture sur sa tête. «Tout le monde se marie sauf moé», se dit-elle. Et elle pleura en silence pour que Juliette, qui dormait dans le même lit, n'entende pas ses pleurs.

* * *

Un mariage double était tout un événement à La Plaine. Marie-Noëlle portait une robe noire sans manches à la mode du charleston. Elle avait dû menacer sa mère de ne pas assister à la noce si celle-ci ne raccourcissait pas sa robe à quatre pouces au-dessus du genou et elle avait gagné la partie.

Marie-Noëlle se plaignit à Marianne:

– Ça me tente pas d'aller aux noces. Si je me retenais pas, je resterais à la maison.

– Et m'man qui t'a fait une robe courte comme tu la voulais!

– Elle me servira à son mariage et les dimanches.

– Tu la décevrais. Tu sais, souvent y s'agit que ça nous tente pas pour qu'on ait le plus de plaisir.

Marie-Noëlle appliqua du rose à ses joues et du rouge à ses lèvres.

– J'y vais à reculons, dit-elle.

* * *

Ce matin-là, il pleuvait à verse.

La noce comptait quatre cents invités. Les pères des mariées n'avaient rien ménagé pour que la noce soit parfaite. Toutefois, ils ne pouvaient rien contre la mauvaise température.

Les invités descendaient de voitures et couraient sous les parapluies jusqu'à l'église.

Quand Marie-Noëlle entra avec Juliette, Marc et Émile étaient déjà à l'autel. Marie-Noëlle et Juliette montèrent la grande allée où se plaçaient les familles immédiates. Mine de rien, Marie-Noëlle chercha le prénommé Étienne des yeux, mais elle n'était intéressée par aucun garçon. Ils étaient bien cinq ou six agglutinés près de l'entrée, mais elle leur trouvait tous l'air insignifiant, surtout celui aux cheveux roux qui lui adressa un sourire charmeur auquel elle ne répondit pas. « C'est lui, se dit-elle, certaine d'avoir deviné juste. Un petit homme rouge carotte aux cheveux frisés, je me doutais ben aussi que c'était un laissé-pour-compte. Dire que je vais devoir passer la journée avec cet énergumène ! »

Toute l'assemblée tournait les yeux vers les grandes portes pour voir entrer les mariées au bras de leurs pères. Francine et Valéda étaient vêtues de blanc avec sur la tête un long voile qui frisait le sol – on aurait dit des anges du paradis. Et, derrière eux, un garçon de belle prestance suivait, tenant en main une bonne demi-douzaine de parapluies fermés qu'il tenait éloignés de son corps à cause de l'eau de pluie qui s'en échappait.

Marie-Noëlle ne pouvait détacher son regard du garçon aux yeux bleu acier, au nez droit, à la bouche dédaigneuse, vêtu d'un habit de bonne coupe. « J'aurais bien aimé que ce soit lui plutôt que l'autre », se dit-elle. Résignée à accompagner le roux pour la journée, elle chercherait plus tard à savoir qui était le chic garçon aux parapluies. Elle regardait droit devant elle, le regard fermé, quand lui parvint une odeur de musc. Quelqu'un s'excusait et poussait son bras pour prendre place à ses côtés. Juliette se poussa au fond du banc. Marie-Noëlle sursauta en reconnaissant le garçon aux parapluies. Celui-ci les déposa par terre pour libérer sa main, qu'il tendit à Marie-Noëlle.

— Étienne Beaudoin, le frère de Francine, murmura-t-il avec un sourire charmeur à la commissure des lèvres. C'est moi que vous devrez supporter aujourd'hui.

Marie-Noëlle répondit à son sourire. Tout son corps se détendit. Déjà, elle avait hâte de le connaître davantage.

À l'orgue, on entamait la marche nuptiale.

* * *

Après le mariage, toute la noce se dirigea vers la salle municipale, où un banquet attendait familles et amis.

Les invités firent la file pour offrir leurs vœux aux nouveaux mariés.

Étienne entraînait vivement Marie-Noëlle vers les siens. Ils trottinaient entre les convives.

– Je vais vous présenter mes parents, dit-il.

– Ensuite, je vous présenterai les miens, dit-elle.

Héléna murmura à l'oreille de Gilbert.

– Ça fait un bon bout de temps que j'ai pas vu Marie-Noëlle de si bonne humeur, elle qui, ce matin, partait à reculons.

Étienne serra les mains avec aisance.

Marie-Noëlle l'observa. Son parler était excellent, il avait de l'entregent, de belles manières. « Je vais devoir surveiller mon langage », se dit-elle. Après chaque présentation, le jeune homme reprenait sa main.

– Allons retrouver les cousins au fond de la salle, dit-il.

Marie-Noëlle aurait bien aimé échanger un peu avec lui, histoire de mieux le connaître, mais, comme elle était là seulement pour l'accompagner, elle se contenterait de se divertir. « À un mariage double, se dit-elle, on s'amuse en double. »

Les cousins avaient l'air de bien rigoler.

À la table, le petit roux s'assit en face de Marie-Noëlle et ne la quitta pas des yeux. Celle-ci s'efforça de regarder ailleurs. Mais le repas terminé, l'insignifiant se leva et l'invita à danser.

Marie-Noëlle rageait intérieurement, mais elle ne lui laissa pas voir ses états d'âme. Elle dut prendre sur elle pour refuser poliment, à voix basse :

— Merci ! Ce serait pas convenable de laisser mon ami de côté.

Le roux bafouilla des mots que Marie-Noëlle ne prit pas la peine d'écouter. Elle n'espérait qu'une chose : qu'il la laisse en paix. Elle se laissa plutôt entraîner par Étienne dans une toute nouvelle danse venue d'outre-mer, le tango. Comme elle ne connaissait que la valse et les sets carrés, Étienne dut lui apprendre quelques pas.

Il posa sa main dans le dos de Marie-Noëlle, la serra contre lui, ce qui éveilla chez la jeune fille une émotion sensuelle. Étienne fit un signe à l'accordéoniste, qui entama un tango. La joue collée à celle de Marie-Noëlle, Étienne prit sa main, la posa sur sa nuque et tint l'autre dans la sienne.

— Avancez, dit-il, c'est ça, doucement ! Maintenant, reculez.

Marie-Noëlle lui marcha sur les pieds à quelques reprises, mais rien n'arrêtait Étienne.

— Posez votre main sur votre hanche et levez la jambe comme si vous donniez un coup de pied dans le vide. Allez ! Plus haut, Marie-Noëlle, allez ! dit Étienne, en renversant son corps gracile de côté. Ne craignez rien, je ne vous échapperai pas.

Et il la pencha presque à l'horizontale, en serrant toujours son corps contre le sien. Marie-Noëlle tirait sur sa robe courte qui laissait voir son cotillon, et pourtant, elle riait. Étienne parlait tout le temps qu'il dansait.

— C'est vous qui dansez, moi, je ne fais que vous conduire.

La main sur sa taille, il la fit tourner sur elle-même comme une toupie et, après deux tours complets, il la rattrapa d'une main vive. Après quelques essais, Marie-Noëlle s'abandonna et tout devint gracieux.

Tous les yeux étaient sur ce jeune couple qui se donnait en spectacle.

Marie-Noëlle se retrouvait comme dans un autre monde et c'était merveilleux. Mais toute bonne chose ayant une fin, le lendemain, elle se retrouverait de nouveau seule avec le souvenir de Ferdinand qui pâlissait au firmament de ses amours.

Avant de quitter Marie-Noëlle, Étienne lui demanda :

— Accepteriez-vous de m'accompagner à la remise des diplômes à la fin du mois ? Après la cérémonie, on se retrouverait à l'hôtel Bellevue, à L'Assomption.

— Je dois demander la permission à ma mère. Elle est très sévère sur les sorties.

— J'irai chercher la réponse en personne en allant rendre visite à ma sœur Francine, qui va demeurer tout près de chez vous.

***

Sur le chemin du retour, Marie-Noëlle demanda à sa mère la permission d'accompagner Étienne à la remise des diplômes.

En entendant parler d'hôtel, Héléna pensa immédiatement à « chambre d'hôtel » et sa réponse fut un non catégorique.

Marie-Noëlle prit une attitude maussade, mais sa mère était habituée aux longues bouderies avec Gustave.

— Les autres filles vont y aller, elles ! insista Marie-Noëlle.

— Les autres, ça me regarde pas.

— Vous faites pas confiance à Étienne, c'est ça ?

« Confiance », pensa Héléna. Elle ne lui dit pas que l'après-midi même, elle les avait trouvés scandaleux avec leur tango langoureux, pour comble, devant Henri qui autrefois l'avait vue sous un voile de religieuse. Héléna craignit que Gilbert, assis à ses côtés, n'intervienne en faveur de Marie-Noëlle ; il était de ceux qui l'avaient chaudement applaudie.

— Je sais tenir ma place, dit Marie-Noëlle.

Héléna se le demandait bien. Elle la voyait encore avec sa robe courte, collée contre le garçon, la jambe en l'air, le cotillon davantage en vue que le visage.

— C'est non ! Un point c'est tout, dit-elle, le ton ferme.

— Si je perds Étienne, ce sera votre faute, l'accusa Marie-Noëlle.

Gilbert sourit intérieurement en pensant qu'Héléna était plus sévère pour sa fille que pour elle-même.

XXIV

Une belle maison en brique rouge se dressait près de la maison ancestrale des Branchaud.

Le soir du déménagement, Héléna s'avachit sur une chaise et ne bougea plus.

— Je suis au bout du rouleau, murmura-t-elle à Marie-Noëlle pour ne pas être entendue de Marianne.

— Allez vous coucher, on va s'arranger.

— Vous arranger ? Avec les boîtes et les petits dans vos jambes ? Non ! Après tout, j'en mourrai pas.

Marie-Noëlle sortit aussitôt en s'écriant :

— Je reviens dans la minute.

Elle courut frapper chez Gilbert.

— M'man est épuisée, dit-elle. Vous devriez la sortir de la maison, au moins pour la soustraire au remue-ménage du déménagement, sinon elle va flancher. Nous, on peut très bien se passer d'elle.

— C'est une bonne idée ! Demain, je vais l'amener à Montréal.

***

Le jour suivant, au départ d'Héléna, tout traînait dans la maison : des savates sur les tapis, des draps et des vêtements sur les chaises. Et la pauvre mère regardait sa cuisine d'un air découragé.

— Je peux pas vous laisser avec tout ce chambardement.

— Partez tranquille, lui dit Marie-Noëlle. À votre retour, rien n'y paraîtra plus.

— Je vous ai préparé un pain de sandwichs au jambon, dit Héléna. Ça vous fera un repas de moins à vous occuper.

Marie-Noëlle la poussa vers la porte:

— Allez! dit-elle. Et elle ajouta avec une pointe d'ironie en refermant la porte sur sa mère: Pis conduisez-vous bien.

Une fois les filles seules, Marie-Noëlle taquina sa sœur:

— T'as le tour de faire travailler les autres, hein! À chaque déménagement, tu t'arranges pour être enceinte.

— On dirait ben, hein! dit Marianne, toute à sa joie d'emménager dans sa grande maison. Cette fois, si t'acceptes, ce sera ton tour d'être marraine, avec Étienne comme parrain.

— Étienne et moi? Oh merci, Marianne!

Marie-Noëlle était pleine d'entrain. La famille de Marianne partie, Gilbert allait bientôt laisser sa maison à Marc et Francine, et ce voisinage lui donnerait sans doute l'occasion de côtoyer Étienne, qu'elle n'avait pas revu depuis la noce. Sous l'œil vigilant de Marianne, elle plaça les vêtements des enfants dans des boîtes qu'elle empilait près de la porte et, rapidement, on put apercevoir un coin de table nu.

Un véhicule entra dans la cour et Marc, Francine et Étienne en descendirent.

– Mon Dieu! dit Marianne, tout énervée. Regarde qui arrive. La maison est tout en désordre, une vache trouverait pas son veau.

Elle passa une main dans ses cheveux et ouvrit.

Marianne s'occupait des arrivants.

– Regardez pas le désordre. Je suis en plein déménagement pis, justement, on manque de bras.

– Avant, dit Marc, je vais aller montrer à Francine la maison que mon oncle Gilbert va nous prêter.

– Y est parti à Montréal avec m'man. Mais je peux y aller avec vous autres, la porte est jamais barrée. Ensuite, tu pourras aider Marie-Noëlle à charrier les boîtes avec ton camion, ce sera plus rapide pis ça exemptera d'atteler le cheval à la charrette.

Marianne prit son petit dernier sur un bras, sa fille par la main et sortit derrière le jeune couple.

– Faites attention où vous mettez les pieds, le terrain est inégal.

Restés seuls dans la vieille maison, Étienne s'approcha de Marie-Noëlle et l'embrassa familièrement sur la joue. Celle-ci rougit sous l'effet de l'émotion et pensa: «Si m'man me savait seule avec un garçon, elle ferait une syncope. Étienne a beau savoir garder sa place, m'man fait confiance à personne.»

– Attendez un peu, je vais vous libérer une chaise, dit Marie-Noëlle, qui, légère comme un papillon, saisit une brassée de vêtements, la jeta sur le lit et referma la porte de la chambre.

– Vous pouvez vous asseoir, Étienne.

Il prit la chaise que Marie-Noëlle lui avançait.

Elle se tenait debout devant lui, appuyée à la table.

— Excusez ma tenue, dit-elle, troublée. J'ai tellement honte.

Étienne l'observait dans sa petite robe en cotonnade à fleurs mauves, les cheveux attachés à la diable. Telle une gamine prise en faute, elle se ramassait sur elle-même comme pour disparaître et ses mains délicates tiraient le devant de sa jupe sur ses genoux, à la manière d'un torchon.

Étienne la regarda avec insistance. Elle avait perdu son assurance.

— J'aime bien vous voir sous votre vrai jour, dit-il.

— J'ai l'air misérable dans ma robe de coton qui sent le gros savon.

— Mais non! Vous êtes mignonne.

— Pas comme je suis atriquée.

Il était beau et élégant, il parlait bien, il l'intimidait.

« Soigne ton langage, Marie-Noëlle Branchaud », se dit-elle.

— Vous frissonnez, dit-il. Vous avez froid?

— C'est parce que je suis atriquée comme la chienne à Jacques et que la maison est tout à l'envers. Vous comprenez que ça me gêne.

— Je ne suis pas venu pour inspecter les lieux ni pour vous mettre mal à l'aise.

— Je sais, mais notre cuisine est si attrayante quand elle est en ordre.

Étienne ressentait une envie folle de la serrer dans ses bras, mais avant qu'il n'ait le temps de réagir, elle s'éloignait, sans se presser. Elle passa un linge humide sur la table et y étendit la nappe brodée.

— J'avais tellement hâte de vous revoir, dit-il. Je n'ai cessé de penser à vous pendant ces trois semaines. J'attendais une occasion qui ne se présentait pas. Et vous? Vous avez pensé à moi depuis tout ce temps?

— Quelquefois, dit-elle. J'aurais bien aimé vous connaître davantage, je ne sais rien de vous. Mais une noce n'est pas l'endroit pour jaser tranquille. Puis, comme vous ne donniez pas de vos nouvelles, j'allais vous oublier.

— Je suis à pied, je dois attendre les occasions. Mais quand Francine sera installée à côté, nous pourrons nous voir plus souvent, si naturellement vous acceptez de vous laisser courtiser.

— Ma porte vous est ouverte, dit-elle, les yeux noyés de bonheur. Si vous le désirez, vous pouvez venir veiller au salon.

— Votre invitation me fait le plus grand plaisir.

Marie-Noëlle attendait un surcroît de confidence, mais Étienne se contenta de sourire.

— Si vous voulez dîner avec nous, dit-elle tout en dressant la table, il faudra vous contenter de sandwichs. Maman nous a préparé un repas froid.

— C'est votre frère Marc qui décidera. Les voici qui viennent.

À leur arrivée, la table était mise. Tout le monde s'approcha.

Agenouillée sur sa chaise, la petite Victoria suivait la conversation des grandes personnes. Le coude appuyé sur la table, sa main tenait sa petite tête fragile penchée sur le côté et ses yeux clairs allaient d'Étienne à Marie-Noëlle, qu'elle examinait de la tête aux pieds, comme si elle comprenait le lien qui les unissait, comme si elle sentait leurs deux cœurs palpiter.

Marie-Noëlle caressa sa petite tête ronde.

* * *

Après le dîner, Josette Lafleur frappa chez les Branchaud.

— Viens t'asseoir, Josette, l'invita gentiment Marianne. Si ça te dérange pas, on va jaser tout en empaquetant.

— Non, comme vous êtes dans le barda, m'man t'offre de prendre les enfants pour l'après-midi.

— C'est pas de refus. Dis-y que j'y remettrai ça, un jour.

Marianne changea Théo de couche et prépara une bouteille de lait qu'elle remit à Josette. Victoria tenait déjà la poignée de porte. Elle savait que, chez les Lafleur, on la gaverait de jujubes.

* * *

Au retour de Gilbert et d'Héléna, tout était en ordre dans la grande cuisine jaune. Héléna n'avait pas déposé son chapeau et ses gants de dentelle que Marie-Noëlle lui dit :

— Le déménagement est fini !

— J'espère que Marianne s'en est pas trop donné. Je la trouvais pâle ces derniers jours.

Héléna disait « pâle » pour ne pas dire « enceinte ».

Marie-Noëlle raconta la visite de Marc et l'aide qu'il avait apportée en utilisant le camion comme moyen de transport.

– Josette a emmené les enfants chez elle pour tout l'après-midi, ça nous a donné la chance de travailler en paix.

– Pis Marianne, s'informa Héléna, ses meubles sont placés?

– Ces deux-là, y avaient l'air si heureux de se retrouver dans leur nouvelle maison qu'ils nous ont presque mis dehors. Théodore nous a dit: «Asteure qu'on est chez nous, inquiétez-vous pas pour nous autres. On va se placer tranquillement.» Y a même pas voulu que je place la vaisselle dans les armoires. Ça se comprend. Une si belle maison, comparée à leur petit logis de la ville qui ressemblait à un taudis.

Gilbert se laissa choir sur la berçante. Marie-Noëlle avait retrouvé son humeur des bons jours.

Gilbert fronça les sourcils, le regard en coin, ce qui lui donna un air suspicieux.

– Y me semble, dit-il, que t'as les yeux plus brillants que ce matin. Je me trompe?

– Il y a bien juste vous pour voir ça. C'est que le beau Étienne Beaudoin était avec Marc et Francine, dit-elle avec un sourire qui démontrait ses états d'âme. Étienne a même dîné avec nous autres.

Héléna avait noté une amélioration marquée dans le langage de Marie-Noëlle.

– Va pas t'amouracher trop vite, tu pourrais être déçue.

Marie-Noëlle ne l'entendait pas ainsi.

– Votre mère pis moé, dit Gilbert, on est allés au cinéma parlant. C'est incroyable comme la science est avancée!

– Pis vous deux, dit Marie-Noëlle, c'est pour bientôt votre mariage?

– Y nous faudra attendre au congé des fêtes. Juliette va vouloir être des nôtres.

– Quatre mois, c'est une éternité. Je vais demander à Étienne de m'accompagner.

XXV

Le matin, sous un ciel ensoleillé et magnifique, Gilbert se rendit à l'église dans une Buick d'un noir luisant.

Héléna sortit de la maison, heureuse comme à vingt ans. La campagne sommeillait sous un drap blanc quand un petit lièvre bondit en zigzaguant. Ses yeux avaient peine à le suivre. Il disparut derrière la grange. Héléna portait un manteau noir agrémenté d'un grand col en renard argenté. Un chapeau et un manchon de même fourrure complétaient sa toilette. Elle monta dans l'auto de son frère Jean-Guy, qui lui servirait de père.

Gilbert l'attendait debout au pied de l'autel. Il portait un manteau et un tuyau de castor. Il se tourna à l'arrivée de sa bien-aimée qu'il attendait depuis six ans. Il lui tendit la main.

Elle était plus jolie que jamais avec sa figure souriante qui émergeait des fourrures.

Les familles Branchaud, Pelletier et Lafleur s'éparpillaient dans la nef.

Marie-Noëlle, émue aux larmes, serra la main d'Étienne. Comme ses frères et sœurs, depuis le départ de leur père, elle souhaitait cette union de Gilbert et de sa mère, qui enfin se concrétisait.

Étienne lui chuchota à l'oreille :

— Saviez-vous que, dans sa jeunesse, mon père était amoureux fou de votre mère?

— Vous êtes sérieux?

— Gardez ça secret, lui dit Étienne. Ma mère n'en a jamais rien su.

— Comme ça, ma mère avait ses petits secrets? Qui aurait cru! Votre père et maman, se répéta-t-elle, incroyable!

— Il l'a fréquentée pendant un an, après quoi il l'a perdue pour la vie religieuse.

— Une chance, dit-elle, sinon, nous serions frère et sœur.

— Mais vous, Marie-Noëlle, vous ne m'échapperez pas comme mon père a échappé votre mère. Je vous ai et je vous garde.

Étienne posa sa main sur la sienne, ouverte sur le prie-Dieu.

Marie-Noëlle était bouleversée. Avait-elle bien compris? Elle ressentait le besoin de pousser plus loin les confidences d'Étienne pour en être bien assurée et ensuite se permettre de rêver sans se désillusionner.

— Pour combien de temps? demanda-t-elle.

— Pour la vie, chuchota Étienne.

— Ça ressemble à une demande en mariage, dit-elle avec émotion.

Étienne serrait maintenant ses doigts à les briser.

— C'en est une, Marie-Noëlle, dit-il. C'en est une!

Derrière eux, Marianne les rappela à l'ordre, mais c'était trop tard. Déjà, dans la tête de Marie-Noëlle, tout n'était que désordre: joies, rêves, palpitations, distractions.

Le célébrant s'approcha et bénit l'anneau que Gilbert passa au doigt d'Héléna.

Le moment était beau, le moment était touchant. Une larme tomba des beaux yeux de la mariée sur la main de Gilbert, qui tremblait d'une façon à peine perceptible. Il leva les yeux sur Héléna.

Une immense tendresse dans son regard la mit en confiance.

Les nouveaux mariés, après avoir vécu des années prisonniers de leurs sentiments réciproques, voyaient enfin le bonheur leur ouvrir les bras.

Après la célébration religieuse, tous les invités se rendirent chez Agathe pour le repas de noce.

Avant le dîner, Gilbert se leva. L'abbé Rosaire frappa des mains pour demander le silence.

— Le marié a un mot à dire aux invités.

Gilbert tira la main d'Héléna et l'attira à lui.

— Héléna pis moé, dit-il, on part pour six semaines au Colorado.

Héléna, incapable de prononcer un mot, regarda son mari. Elle se jeta dans ses bras. Quoique très émue, elle affectait la plus grande gaieté.

— Tu m'as caché ça, Gilbert Branchaud, scélérat!

Et, comme une gamine, elle se mit à bombarder Gilbert de coups de poing espiègles dans l'estomac. Gilbert saisit ses mains et les garda prisonnières des siennes. On retrouvait quelque chose d'enfantin dans leurs émotions joyeuses.

Tout le monde applaudit.

Puis, comme si c'était trop de bonheur à la fois, Héléna cacha son visage dans ses mains. C'était son premier voyage et elle allait au bout du monde.

Gilbert écarta ses mains. Il vit qu'elle pleurait et les quelques bouchées qu'elle s'efforçait d'avaler lui restaient sur l'estomac.

– Un peu de vin, Héléna? demanda-t-il.

Héléna accepta.

Le bon vin l'étourdissait le jour de son mariage.

Gilbert ne cessait de lui répéter sa chance de l'avoir enfin à lui.

– Je vais me sentir si bien dans une petite routine de vie de ménage, dans une maison chaude avec l'élue de mon cœur.

* * *

Le lendemain, le lever était doux. Enfoui sous les couvertures, Gilbert regardait sa femme intensément. Il la désirait à pleins bras, à pleine bouche. Il l'attira à lui et posa sa tête au creux de son épaule. Dans les bras de Gilbert, Héléna, à moitié endormie, comme si elle ne faisait plus partie de ce monde, se laissait aimer.

Plus rien ne les pressait. On leur servit le petit déjeuner dans la salle à manger de l'hôtel sans qu'Héléna ait à lever le petit doigt.

– C'est le paradis, Gilbert. Après tant de gâteries, dit-elle, ce sera difficile de retourner à la vie normale.

– Tu verras, un jour, t'en auras assez de la route. Tu sentiras le besoin de retourner à la maison, de t'isoler dans ton cocon avec ton amoureux.

Plus ils roulaient, plus la température se réchauffait et plus leur bonheur grandissait.

FIN

REMERCIEMENTS

Merci à : Lise Gauthier, Lise Dupuis, Marie Lise Émery, France Dalpé, Marie Brien, Jean Brien, Élaine Lortie, Raymonde et Nelson Tessier, Irénée Brien, Jean Crépeau.

De la même auteure:

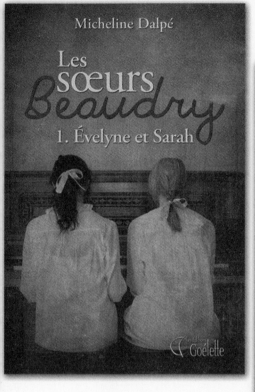

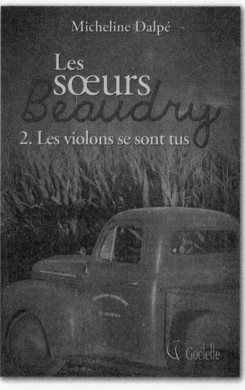

Dans ce dyptique du terroir, Micheline Dalpé démystifie la vie des intrigantes sœurs Beaudry, leurs amours, leurs joies et leurs peines. Tout en faisant honneur à la culture du terroir et au patrimoine québécois, elle présente l'histoire émouvante d'une famille des années 30 habilement dissimulée derrière des portes closes et de grands secrets.

« Avec un beau talent de conteuse, Micheline offre un roman du terroir haut en couleurs et en rebondissements. »
Louise Chevrier, *La Terre de chez nous*

« Un succès retentissant »
Magazine *7 jours*

« Micheline Dalpé [...] fait honneur au terroir de Lanaudière dans *Les sœurs Beaudry*, décrivant avec beaucoup de finesse des histoires familiales d'une époque révolue. »
Marie-France Bornais, *Le Journal de Montréal*

 Les Éditions Goélette   www.editionsgoelette.com   www.facebook.com/EditionsGoelette